INTELIGENCIA EMOCIONAL

Marta Guerri

INTELIGENCIA EMOCIONAL

Mestas
ediciones

Colección
SUPÉRATE Y TRIUNFA

© Marta Guerri
© MESTAS EDICIONES, S.L.
Avda. de Guadalix, 103
28120 Algete, Madrid
Tel. 91 886 43 80
Fax: 91 886 47 19
E-mail: info@mestasediciones.com
www.mestasediciones.com
http://www.facebook.com/MestasEdiciones
http://www.twitter.com/#!/MestasEdiciones

Imágenes de portada e interior bajo licencia Shutterstock
Autor portada: Anita Ponne;
página 31: Kuttly; página 34: Turbo Vector

Director de colección: Raül Pere

Primera edición: *Marzo, 2013*
Segunda edición: *Octubre, 2014*
Tercera edición: *Septiembre, 2017*

ISBN: 978-84-92892-32-7
Depósito legal: M-6650-2014
Printed in Spain - Impreso en España

A mis hijos Víctor, Marc y Núria, fuente inagotable de emociones y creatividad, con ellos todo es posible.

AGRADECIMIENTOS

Escribir un libro es algo realmente interesante e incluso gratificante, dado que puedes exponer ideas y conocimientos que tienes previamente, pero dándoles forma para que puedan ser entretenidos además de cercanos para otras personas.

Es un trabajo que fluye desde el interior personal hacia el exterior, lo que no deja de ser una tarea complicada, pues no siempre las ideas que tienes las sabes plasmar exactamente como desearías, y en ocasiones aquello que piensas que se entiende fácilmente, resulta que no es así. Por eso resulta de tremenda ayuda tener una segunda, o tercera, o incluso cuarta opinión, siempre y cuando éstas sean claras y sinceras.

Por este motivo quiero manifestar mi más sincero agradecimiento a aquellas personas que, directa o indirectamente, me han ayudado a realizar este libro. En primer lugar a mi amado, respetado y más que abnegado marido Alex, ya que sin él no hubiera encontrado ni siquiera el tiempo material para llevarlo a cabo, pues se ha encargado de los niños en los momentos que más lo he necesitado para poderme dedicar a escribir fuera de mi horario laboral. Ha leído y ha opinado sobre mi obra con tremenda paciencia y sin "endulzar" su opinión sobre la misma, haciendo

7

críticas siempre constructivas. A mis hijos Víctor, Marc y Núria, fuente inagotable de inspiración diaria y gracias a los cuales he podido vivir muchas de las cosas que cuento en primera persona. No quiero olvidarme de mi hermana Mónica, que gracias a nuestras innumerables discusiones sobre la vida y las personas, nuestros sentimientos, conductas y como no, emociones, siempre me ha ofrecido una visión abierta y comprensiva de los demás. Por suerte o por desgracia ella siempre me ha llevado "un paso más allá". A mis padres Carles y Margarita, por apoyarme y escucharme en todo momento.

Por último no quiero olvidar agradecer a la editorial y en especial a Raül Pere por confiar en mí y ofrecerme esta valiosa oportunidad de escribir.

PRÓLOGO

En la actualidad vivimos en la llamada "sociedad del conocimiento", en donde los nuevos inventos, los avances, la tecnología y los descubrimientos progresan casi exponencialmente. Es un mundo que nuestros abuelos ni siquiera hubieran podido soñar, en el que disfrutamos de muchas comodidades y tenemos a nuestro alcance miles de opciones de ocio y de consumo. Pero también es un mundo saturado de obligaciones hacia nosotros mismos y hacia los demás, un mundo invadido por la información que no siempre somos capaces de gestionar correctamente, en el que continuamente nos vemos sometidos a tensiones y exigencias que afectan a nuestra forma de vivir y sobre todo a nuestra forma de relacionarnos con otras personas.

Pero las personas no hemos evolucionado biológicamente al mismo ritmo que nuestra tecnología, por desgracia no somos tan rápidos. Especialmente en el ámbito de las relaciones sociales y la comunicación, en muchos aspectos estamos al mismo nivel que hace miles de años. Por poner un ejemplo, en numerosas ocasiones, cuando nos surge un problema dentro de una determinada situación, existe la tendencia a actuar de una forma que, quizás anteriormente, nos ha funcionado y nos ha dado una solución satisfactoria, por eso no es de extrañar que apliquemos soluciones a problemas cotidianos con las mismas estrategias que una vez nos funcionaron, basándonos en la ilusión de que al hacer "lo mismo de siempre" conseguiremos iguales resultados, y muchas veces esto no es así.

Hemos de tener presente que en el fondo somos personas de costumbres, y no siempre es fácil introducir cambios profundos tanto en nuestra forma de pensar como en la de actuar.

Estos intentos de realizar una y otra vez las mismas e ineficaces soluciones dan lugar, finalmente, a un complejo proceso de conductas en las que los esfuerzos por lograr el cambio mantienen inmutable la situación problemática. Desde este punto de vista podríamos decir que las soluciones hasta ahora intentadas por nosotros se convierten en el propio problema.

Seguramente si nos paráramos un poco más a pensar antes de actuar nuestras conductas serían más lógicas y racionales. No es extraño preguntarse por qué a veces actuamos de forma irracional en nuestras vidas cotidianas, ¿acaso no somos seres racionales? Teóricamente lo somos, aunque algunos comportamientos ponen en duda nuestra supuesta racionalidad. En cualquier caso, sería incierto decir que no somos racionales, en realidad somos seres racionales que en ocasiones piensan y actúan de forma irracional. Entonces, ¿por qué lo hacemos? El secreto está en las emociones.

¿QUÉ SON LAS EMOCIONES?

*No olvidemos que las pequeñas emociones son
los capitanes de nuestras vidas y las obedecemos
sin siquiera darnos cuenta.*

Vincent Van Gogh

Las **emociones** son definidas como un estado mental que
surge espontáneamente, es una sensación o estado afectivo
que experimentamos, una reacción subjetiva al ambiente
que viene acompañada de cambios orgánicos (fisiológicos
y endocrinos) de origen innato, influidos por la experiencia. No es un esfuerzo consciente.

Históricamente el término emoción viene del latín *move-
re*, que significa "movimiento o impulso", "aquello que te
mueve hacia", por lo tanto, es también una tendencia a
actuar en función de un estímulo, que puede ser una percepción de algo externo, un pensamiento, o ambos.

Las emociones, de acuerdo con el filósofo y psicólogo William James, son causadas por nuestras interpretaciones
de los eventos que desencadenan en una reacción psicológica. Principalmente tienen una función adaptativa de
nuestro organismo a lo que nos rodea, es un estado que
sobreviene súbita y bruscamente, en forma de crisis más o
menos violenta y más o menos pasajera.

En el ser humano la experiencia de una emoción generalmente involucra un conjunto de cogniciones, actitudes y creencias sobre el mundo, que utilizamos para valorar una situación concreta y, por tanto, influyen en el modo en el que se percibe dicha situación.

De modo que, el origen de nuestras emociones y por lo tanto de nuestras alteraciones emocionales, radica en nuestro pensamiento y no en el mundo exterior. Esto nos otorga un alto grado de control sobre las mismas, lo que supone una gran noticia, pero también una gran responsabilidad.

Apenas tenemos unos meses de vida y ya empezamos a adquirir rápidamente emociones básicas como el miedo, el enfado o la alegría. Algunos animales comparten con nosotros esas emociones tan básicas, pero es en los humanos donde éstas se van haciendo más complejas principalmente gracias al uso de lenguaje, símbolos, signos y significados.

Cada individuo experimenta una emoción de forma particular, dependiendo de sus experiencias anteriores, aprendizaje, carácter y de la situación concreta. Algunas de las reacciones fisiológicas y comportamentales que desencadenan las emociones son innatas, mientras que otras pueden adquirirse.

Aunque lo que más influye en las emociones es su componente afectivo, en realidad hablamos de conducta porque cada emoción está vinculada a elementos fisiológicos concretos como la respiración, el tono muscular, el pulso cardíaco, la presión arterial, la postura, los movimientos y las expresiones faciales. Todas estas respuestas son en sí mismas conductas, pero además, cada una de ellas nos prepara para actuar. Por ejemplo, cuando escuchamos un fuerte ruido que nos sobresalta, nos produce sorpresa y desconcierto, esa incertidumbre hace que intentemos buscar la fuente del ruido para reconocer si es bueno o malo para nosotros.

Las emociones poseen tres componentes básicos:

1. Una situación: que genera sentimientos, ideas o recuerdos.

2. El estado de ánimo subjetivo.

3. Un componente fisiológico.

Durante mucho tiempo las emociones han estado consideradas poco importantes y siempre se le ha dado más relevancia a la parte más racional del ser humano. Pero las emociones, al ser estados afectivos, indican estados internos personales, motivaciones, deseos, necesidades e incluso objetivos. De todas formas, es difícil saber a partir de la emoción cual será la conducta futura del individuo, aunque nos puede ayudar a intuirla.

¿CUÁL ES LA FUNCIÓN DE LAS EMOCIONES?

*Los sentimientos y las emociones son
el lenguaje universal que debe ser honrado.
Son la expresión auténtica de quiénes somos.*

Judith Wright

En condiciones normales, las emociones tienen una función adaptativa, ya que nos permiten ajustarnos y relacionarnos con nuestro entorno. Por ejemplo, en las épocas prehistóricas, un estímulo peligroso como podía ser la presencia cercana de un depredador, nos producía miedo, y dicho miedo hacía que se acelerase el pulso cardiaco, enviando más sangre a los músculos preparando a éstos para una eventual huida.

Ya en su momento Charles Darwin observó cómo los animales, especialmente los primates, tenían un extenso repertorio de emociones, y que la manera en que las expresaban tenía una función eminentemente social, pues colaboraban en la supervivencia de la especie. Tienen, por tanto y como hemos comentado, una función principalmente adaptativa.Sin embargo, en ocasiones las emociones, lejos de producir ese ajuste adaptativo, nos incapacitan y bloquean por completo o hacen que esa relación con nuestro entorno sea desajustada, causándonos además un enorme sufrimiento interno, es entonces cuando hablamos de "alteración emocional".

Las emociones están implicadas directamente en todos los aspectos de la vida del ser humano; cualquier tarea o pensamiento que emprendamos llevará además implícito un componente afectivo.

No existe acción sin pensamiento (aunque este último sea más o menos racional y elaborado), primero viene el pensamiento o idea y luego nuestros actos. Estos dos elementos están íntimamente ligados entre sí y a su vez lo están a un tercer elemento clave, que es la emoción. Cada uno de estos tres elementos influye en los otros dos y viceversa. De esta manera, todo lo que sentimos influye en lo que pensamos y en lo que hacemos.

En definitiva la percepción, el pensamiento y la emoción están íntimamente ligados entre sí, ninguno puede vivir sin el otro.

Por último, conviene señalar que las emociones tienen un componente cualitativo que indica qué sentimos (miedo, ansiedad, ira, enfado, tristeza, alegría, curiosidad, etc.) y un componente cuantitativo que indica con qué intensidad lo sentimos (mucho, poco, nada, etc.).

Existen **6 categorías básicas** de emociones.

1. **MIEDO**: Es la anticipación de una amenaza o peligro que produce ansiedad, incertidumbre, inseguridad.

2. **SORPRESA**: Es el sobresalto, el asombro, el desconcierto. Es una emoción muy transitoria. Puede dar una aproximación cognitiva para saber qué pasa.

3. **AVERSIÓN**: Es el disgusto o el asco, solemos alejarnos del objeto que nos produce aversión.

4. **IRA**: Es la rabia, el enfado, el resentimiento, la furia, la irritabilidad y todo aquello que nos hace sentir enojo.

5. ALEGRÍA: Es la diversión, la euforia, lo que nos da una sensación de bienestar y de seguridad.

6. TRISTEZA: Es sinónimo de pena, sentimiento de soledad y pesimismo.

Si tenemos en cuenta la finalidad adaptativa de las emociones, podríamos decir que tienen las siguientes funciones:

1. MIEDO: Tendemos hacia la protección.

2. SORPRESA: Ayuda a orientarnos frente a la nueva situación.

3. AVERSIÓN: Nos produce rechazo hacia aquello que tenemos delante.

4. IRA: Nos induce hacia la destrucción.

5. ALEGRÍA: Nos induce hacia la reproducción (deseamos reproducir aquel suceso que nos hace sentir bien).

6. TRISTEZA: Nos motiva hacia una nueva reintegración personal.

Los humanos tenemos 42 músculos diferentes en la cara. Dependiendo de cómo los movemos expresamos unas determinadas emociones u otras. Hay sonrisas diferentes, que expresan diferentes grados de alegrías. Esto nos ayuda a expresar lo que sentimos, que en numerosas ocasiones nos es difícil explicar con palabras. Es otra manera de comunicarnos socialmente y de sentirnos integrados en un grupo social. Hemos de tener en cuenta que el hombre es el animal social por excelencia.

Existen diferentes expresiones faciales que son internacionales, ya que dentro de las distintas culturas hay un lenguaje similar. Podemos observar como en los niños ciegos o sordos cuando experimentan las emociones lo demuestran de forma muy parecida a las demás personas, tienen la misma expresión facial. Posiblemente existan unas bases genéticas y hereditarias, ya que un niño que no ve no puede imitar las expresiones faciales de los demás. Aunque las expresiones también varían un poco en función de la cultura, el sexo, el país de origen, etc. Por otro lado, las mujeres tienen más sensibilidad para captar mejor las expresiones faciales o las señales emotivas y esta sensibilidad aumenta con la edad. Otro ejemplo de diferencia cultural son los rostros de los orientales, especialmente los japoneses, que nos parecen bastante inexpresivos, pero es de cara a los demás, porque a nivel íntimo expresan mejor sus emociones.

Las expresiones faciales también afectan a la persona que nos está mirando alterando de este modo su conducta. Si observamos a alguien que llora nosotros nos ponemos tristes o serios, e incluso podemos llegar a llorar como esa persona. Por otro lado, se suelen identificar bastante bien la ira, la alegría y la tristeza de las personas que observamos. Pero se identifican peor el miedo, la sorpresa y la aversión.

Así pues, las emociones poseen unos componentes conductuales particulares, que son la manera en que éstas se muestran externamente. Son en parte controlables, basados en el aprendizaje familiar y cultural de cada grupo, como por ejemplo:

1. Expresiones faciales

2. Acciones y gestos

3. Distancia entre personas

4. Componentes no lingüísticos de la expresión verbal (comunicación no verbal)

Los otros componentes de las emociones son fisiológicos e involuntarios, iguales para todos:

1. Temblor

2. Sonrojarse

3. Sudoración

4. Respiración agitada

5. Dilatación pupilar

6. Aumento del ritmo cardíaco

Estos últimos componentes son los que están en la base del polígrafo o del "detector de mentiras". Se supone que cuando una persona miente siente o no puede controlar sus cambios fisiológicos, aunque hay personas que con el adecuado entrenamiento sí pueden llegar a hacerlo.

Pero, ¿Hasta qué punto podemos influir de forma voluntaria en nuestras emociones, pensamientos y acciones? ¿Podemos controlar nuestras emociones? ¿Son evitables las alteraciones emocionales? La respuesta es SI. Es posible tener un mayor control emocional y es posible mantener a raya las alteraciones emocionales.

¿QUÉ ES LA INTELIGENCIA EMOCIONAL?

Cualquiera puede enfadarse, eso es algo muy sencillo.
Pero enfadarse con la persona adecuada,
en el grado exacto, en el momento oportuno,
con el propósito justo y del modo correcto,
eso ciertamente, no resulta sencillo.

Aristóteles

El término **Inteligencia Emocional** se refiere a la capacidad humana de sentir, entender, controlar y modificar los estados emocionales de uno mismo y también de los demás. Inteligencia Emocional no significa ahogar las emociones, sino dirigirlas y equilibrarlas.

Es un tipo de aptitud psicológica que gobierna y dirige nuestras emociones en todos los aspectos. Es la actitud para disfrutar de los acontecimientos de la vida, a partir de un estado de tranquilidad y auto aceptación, que le permite al sujeto actuar sobre sus carencias y expandir sus fortalezas con sentido crítico y constructivo.

También implica motivación hacia otros y hacia uno mismo, buscando resultados, tomando decisiones bajo presión, con una clara visión del futuro. Nos permite tomar conciencia de nuestras emociones, comprender los sentimientos de los demás, tolerar las presiones y frustraciones que soportamos en el trabajo, acentuar nuestra capacidad de trabajar en equipo y adoptar una actitud empática y social, que nos brindará más posibilidades de desarrollo personal.

La Inteligencia Emocional es la forma que tenemos los seres humanos para relacionarnos con nuestro entorno de forma positiva, es decir, controlando nuestras emociones, comunicándonos de forma asertiva y proyectando una actitud optimista ante la vida. También es la capacidad que desarrollamos para solucionar eficazmente problemas que se presentan de vez en cuando, como la muerte de un familiar, una discusión o una crisis de pareja. En otras palabras, es tener el sentimiento correcto, en el momento correcto y saber expresarlo. En definitiva, es la capacidad que uno tiene para adaptarse a su entorno social, cultural, psicológico y económico.

Además, la Inteligencia Emocional tiene diversas aplicaciones prácticas que son útiles para cuatro áreas fundamentales de nuestra vida:

1. **Psicológica**: Es la base de nuestro bienestar mental, ayudando al desarrollo armónico y equilibrado de nuestra personalidad.

2. **Física**: Contribuye a nuestra buena salud física, moderando o eliminando patrones y/o hábitos psicosomáticos dañinos o destructivos, y previniendo enfermedades producidas por desequilibrios emocionales permanentes como depresión, ansiedad, ira, irritabilidad, etc.

3. **Motivacional**: Favorece nuestro entusiasmo y motivación. Motivación y emoción tienen la misma raíz latina *motere*, que significa moverse (acercarse hacia lo agradable o alejarse de lo desagradable). Gran parte de nuestra motivación en distintas áreas de la vida está basada en estímulos emocionales.

4. **Social**: Permite un mejor desarrollo de nuestras relaciones con otras personas, tanto en el área fa-

miliar, como afectiva y profesional. La Inteligencia Emocional es sinónimo de llevar un nivel óptimo de relación entre las personas, determinando qué tipo de relación mantendremos con nuestros subordinados (liderazgo), con nuestros superiores (adaptabilidad) o con nuestros iguales (trabajo en equipo). Las emociones nos marcan cómo respondemos, nos comunicamos, nos comportamos y funcionamos en el trabajo y/o la empresa.

Las personas que poseen alto nivel de Inteligencia Emocional suelen ser extravertidas, alegres, socialmente equilibradas, poco predispuestas a la timidez y a darle vueltas a sus preocupaciones. Demuestran estar dotadas de una notable capacidad para comprometerse con las causas y las personas, suelen adoptar responsabilidades, mantienen una visión ética de la vida, son afables y cariñosas en sus relaciones. Su vida emocional es rica y apropiada, se sienten a gusto consigo mismos, con sus semejantes y con el universo social en el que viven, tienen visión positiva de sí mismos, y la vida siempre tiene sentido.

Dotados de los mecanismos cognoscitivos y otras habilidades de aprendizaje, hoy día se hace indispensable un buen manejo y conocimiento de la Inteligencia Emocional. De nada vale saber mucho si no tenemos control pleno de nuestros impulsos.

DIFERENCIA ENTRE INTELIGENCIA E INTELIGENCIA EMOCIONAL

*La inteligencia consiste no sólo en el conocimiento,
sino también en la destreza de aplicar
los conocimientos en la práctica.*

Aristóteles

El término inteligencia proviene del latín *intelligentia*, que a su vez deriva de *inteligere*. Esta es una palabra compuesta por otros dos términos: *intus* (entre) y *legere* (escoger). Por lo tanto, el origen etimológico del concepto de inteligencia hace referencia a quien sabe elegir, puesto que la inteligencia posibilita la selección de las alternativas más convenientes para la resolución de un problema. Así pues, de acuerdo a lo descrito en la etimología, un individuo es inteligente cuando es capaz de escoger la mejor opción entre las posibilidades que se presentan a su alcance para resolver un problema.

Oficialmente el Diccionario de la Lengua española de la Real Academia Española define la inteligencia, entre otras acepciones, como la "capacidad para entender o comprender" y como la "capacidad para resolver problemas".

Podemos decir en general que la inteligencia es la capacidad de asimilar, guardar, elaborar información y utilizarla para resolver problemas. Aunque siendo sinceros, estas cualidades también son propias de muchos animales e incluso de los ordenadores. Pero el ser humano va un paso más allá, desarrollando una mayor capacidad de iniciar, dirigir y controlar nuestras operaciones mentales y todas las actividades relacionadas con el manejo de la información. Nosotros aprendemos, relacionamos, deducimos, realizamos cálculos, elaboramos probabilidades y muchas otras cosas más casi sin darnos cuenta. Además tenemos la capacidad de integrar estas actividades mentales y de hacerlas voluntarias, en definitiva de controlarlas, como ocurre con nuestra atención o con el aprendizaje, que deja de ser automático como en los animales para focalizarlo hacia determinados objetivos deseados.

De modo que la inteligencia de una persona está formada por un conjunto de variables como la capacidad de observación, la atención, la memoria, el aprendizaje, las habilidades sociales, etc., que le permiten enfrentarse al mundo diariamente. El rendimiento que obtenemos de nuestras actividades diarias depende en gran medida de la atención que les prestemos, así como de la capacidad de concentración que manifestemos en cada momento. Pero hay que tener en cuenta que, para tener un rendimiento adecuado intervienen muchas otras funciones como, por ejemplo, un estado emocional estable, una buena salud psico-física o un nivel de activación normal.

Pero durante mucho tiempo se ha hecho la interpretación errónea de que la inteligencia sólo servía para resolver problemas matemáticos, lingüísticos o físicos y había dejado de lado las capacidades personales de resolver problemas que afectan a la felicidad personas o a la buena convivencia social.

Desde pequeños hemos oído que el CI o Cociente Intelectual (en inglés IQ: Intelligence Quotient) era determinante para saber si una persona tendría éxito en la vida, con lo que un test podría marcar el futuro de su éxito académico y profesional. Sin embargo, hace ya varios años que desde el ámbito empresarial se dieron cuenta de que son otras capacidades las necesarias para el éxito en la vida. Y esas no las medía ningún test de inteligencia.

Una persona puede sacar un CI muy alto pero tener una vida personal muy pobre, y al contrario, ser alguien con un CI bajo pero tener una fuerza y valor para enfrentarse a los altibajos de la vida que muchos desearían.

Se ha podido comprobar que un elevado CI puede predecir quién tendrá éxito a nivel académico, pero no dice nada del camino que tomará la persona cuando termine su educación. Por otro lado, estudios recientes muestran que la Inteligencia Emocional es la principal responsable del éxito o fracaso de las personas en todos sus ámbitos: profesional, personal y social. Además se ha visto que el éxito profesional, independientemente de que se trate de un ingeniero, un profesor, un abogado o un vendedor, está definido en un 80% por la Inteligencia Emocional y en un 20% por su CI.

Como dice Daniel Goleman:

Resulta paradójico que el CI sea tan mal predictor del éxito entre el colectivo de personas lo bastante inteligentes como para desenvolverse bien en los campos cognitivamente más exigentes.

Hoy en día la teoría que más se ha impuesto últimamente es la de la **Inteligencias Múltiples** de Howard Gardner. Ésta nos dice que no tenemos una sola capacidad mental, sino varias, concretamente siete:

1. **Inteligencia Lingüística**: Es la inteligencia relacionada con nuestra capacidad verbal, con el lenguaje y con las palabras en general. Esta inteligencia nos capacita para escribir poemas, historias, etc.

2. **Inteligencia Lógica**: Tiene que ver con el desarrollo de pensamiento abstracto, con la precisión y

la organización a través de pautas o secuencias. Comprende las capacidades que necesitamos para manejar operaciones matemáticas y razonar correctamente.

3. **Inteligencia Musical**: Se relaciona directamente con las habilidades musicales, como el ritmo y la melodía. Nos sirve para crear sonidos nuevos para expresar emociones y sentimientos a través de la música.

4. **Inteligencia Visual - Espacial**: Es la capacidad para integrar elementos, percibirlos y ordenarlos en el espacio y poder establecer relaciones de tipo metafórico entre ellos. Esta inteligencia nos capacita para crear diseños, cuadros, diagramas y construir cosas. Está ligada a la imaginación.

5. **Inteligencia Kinestésica o Corporal-cinética**: Abarca todo lo relacionado con el movimiento tanto corporal como el de los objetos y los reflejos. Se usa para efectuar actividades como deportes, que requieren coordinación y ritmo controlado.

6. **Inteligencia Interpersonal**: Implica la capacidad de establecer relaciones con otras personas. Incluye las habilidades para mostrar expresiones faciales, controlar la voz y expresar gestos en determinadas ocasiones. También abarca las capacidades para percibir la afectividad de las personas o empatía.

7. **Inteligencia Intrapersonal**: Se refiere al conocimiento de uno mismo y todos los procesos relacionados, como autoconfianza y automotivación. Es como nuestra conciencia. Nos sirve para entender lo que hacemos y valorar nuestras propias acciones.

Esta teoría introdujo dos tipos de inteligencias muy relacionadas con la competencia social, y hasta cierto punto emocional: la *Inteligencia Interpersonal* y la *Inteligencia In-*

trapersonal, que Gardner definió de la siguiente manera:

"La *Inteligencia Interpersonal* se construye a partir de una capacidad nuclear para sentir distinciones entre los demás: en particular, contrastes en sus estados de ánimo, temperamentos, motivaciones e intenciones. En formas más avanzadas, esta inteligencia permite a un adulto hábil leer las intenciones y deseos de los demás, aunque se hayan ocultado... "

"La *Inteligencia Intrapersonal* es el conocimiento de los aspectos internos de una persona: el acceso a la propia vida emocional, a la propia gama de sentimientos, la capacidad de efectuar discriminaciones entre las emociones y finalmente ponerles un nombre y recurrir a ellas como un medio de interpretar y orientar la propia conducta..."

En 1990, dos psicólogos norteamericanos, el Dr. Peter Salovey y el Dr. John Mayer, acuñaron un término cuya fama futura era difícil de imaginar. Ese término es "Inteligencia Emocional".

Todavía hoy la inteligencia es un tema que se encuentra en el punto de mira de muchas discusiones por parte de distintas disciplinas, como la psicología, la medicina, la filosofía, etc. Lo que sí sabemos es que no es algo innato e inamovible, y aunque sí es cierto cada uno de nosotros nace con unas determinadas habilidades y predisposiciones (igual que ocurre con nuestras cualidades físicas; altura, color de piel, de ojos, etc.), la educación y el entorno en el que nacemos, vivimos y crecemos es crucial para modelar nuestro carácter.

Como dice el gran educador y escritor José Antonio Alcázar: *"Es la inteligencia la que debe encauzar y utilizar la fuerza de los sentimientos"*.

EL CEREBRO EMOCIONAL

El cerebro humano está formado por varias zonas diferentes que evolucionaron en distintas épocas. Cuando en el cerebro de nuestros antepasados aumentaba su capacidad en una nueva zona, generalmente la naturaleza no desechaba las antiguas, en vez de ello las retenía, formándose la sección más reciente encima de ellas.

Esas partes primitivas e instintivas del cerebro humano siguen operando hoy en día igual que en los primeros reptiles que habitaban la Tierra. Muchos experimentos han demostrado que gran parte del comportamiento humano se origina en zonas profundamente enterradas del cerebro, las mismas que en un tiempo dirigieron los actos vitales de nuestros antepasados.

Según afirma el neurofisiólogo Paul MacLean, del Instituto Nacional de Salud Mental de los EE.UU. "Aún tenemos en nuestras cabezas estructuras cerebrales muy parecidas a las del caballo y el cocodrilo".

Nuestro cerebro primitivo se remonta a más de doscientos millones de años de evolución, y aún dirige gran parte de nuestros mecanismos para defendernos, cortejar, buscar hogar o seleccionar líderes eficientes. Es responsable de muchos de nuestras actitudes, costumbres e incluso ritos.

EL SISTEMA LÍMBICO

El sistema límbico, también llamado cerebro medio, es la porción del cerebro situada inmediatamente debajo de la corteza cerebral, y comprende centros importantes como el tálamo, hipotálamo, el hipocampo, la amígdala cerebral (no debemos confundirlas con las de la garganta).

En el ser humano, estos son los centros de la afectividad, es aquí donde se procesan las distintas emociones y el hombre experimenta penas, angustias y alegrías intensas

El papel de la amígdala como centro de procesamiento de las emociones es hoy incuestionable. Pacientes con la amígdala lesionada ya no son capaces de reconocer la expresión de un rostro o si una persona está contenta o triste. Los monos a las que fue extirpada la amígdala manifestaron un comportamiento social en extremo alterado: perdieron la sensibilidad para las complejas reglas de comportamiento social en su manada. El comportamiento maternal y las reacciones afectivas frente a los otros animales se vieron claramente perjudicadas.

Los investigadores J. F. Fulton y D. F. Jacobson, de la Universidad de Yale, aportaron además pruebas de que la capacidad de aprendizaje y la memoria requieren de una amígdala intacta: pusieron a unos chimpancés delante de dos cuencos de comida. En uno de ellos había un apetitoso bocado, el otro estaba vacío. Luego taparon los cuencos. Al cabo de unos segundos se permitió a los animales tomar uno de los recipientes cerrados. Los animales sanos tomaron sin dudarlo el cuenco que contenía el apetitoso bocado, mientras que los chimpancés con la amígdala lesionada eligieron al azar; el bocado apetitoso no había despertado en ellos ninguna excitación de la amígdala y por eso tampoco lo recordaban.

El sistema límbico está en constante interacción con la corteza cerebral. Una transmisión de señales de alta velocidad permite que el sistema límbico y el neocórtex trabajen juntos, y esto es lo que explica que podamos tener control sobre nuestras emociones.

Hace aproximadamente cien millones de años aparecieron los primeros mamíferos superiores. La evolución del cere-

bro dio un salto exponencial. Por encima del bulbo raquí-
deo y del sistema límbico la naturaleza puso el neocórtex,
o el llamado cerebro racional.

La corteza cerebral no solamente está es el área más ac-
cesible del cerebro: sino que es también la más distintiva-
mente humana. La mayor parte de nuestro lenguaje, pensar
o planificar, imaginación, creatividad y capacidad de abs-
tracción, proviene de esta región cerebral.

Así, pues, el neocórtex nos capacita no sólo para solucionar ecuaciones de álgebra, aprender una lengua extranjera
o estudiar la Teoría de la Relatividad, nos proporciona también a nuestra vida emocional una nueva dimensión. Ahora conductas como el amor o la venganza, el altruismo o el
egoísmo, el arte y la moral, la sensibilidad o el entusiasmo
van mucho más allá de los básicos modelos de percepción
y de comportamiento espontáneo del sistema límbico.

Por otro lado, se ha podido observar en diversos experimentos realizados con pacientes que tienen el cerebro
dañado, muchas sensaciones quedarían anuladas sin la
participación del cerebro emocional. Por sí mismo, el neocórtex sólo sería un buen ordenador de alto rendimiento.

Es importante reconocer las reacciones que nos provoca en
el cuerpo cada una de las emociones, y también establecer
su origen, pues como se verá, nos permiten reconocer los
llamados "secuestros del centro emocional" o "estallidos
emocionales".

Normalmente, cuando entra un estímulo a través de nuestros sentidos, la información pasa al tálamo (una región
primitiva del cerebro), donde se traduce neurológicamen-
te, y la mayor parte ella pasa después a la corteza cerebral,
donde funciona nuestra parte lógica y racional. Es la corteza quien se encarga de tomar la decisión ante el estímulo
sensorial. Sin embargo, no toda la información pasa en forma directa del tálamo a la corteza. Una parte más pequeña
de la información pasa directamente del tálamo al centro
emocional, lo que permite que tomemos una decisión ins-

tantánea e instintiva antes de que nuestra parte racional logre procesar la información.

Esta relación instantánea y automática entre el tálamo y los centros emocionales es la que origina el "secuestro emocional" o "estallido emocional", y el resultado es que actuamos antes de pensar, a veces para nuestro beneficio y otras para nuestro perjuicio.

En los estallidos emocionales se producen también fenómenos expresivos como gritos y sollozos. Se perturba el tono afectivo habitual, se altera el ritmo de los pensamientos y se pierde, en algunos casos, el control de los actos. En las emociones muy violentas, se liberan los sentimientos reprimidos, reaparecen modos primitivos donde el sujeto puede expresar palabrotas y hasta realizar gestos brutales.

De modo que, la corteza racional, no puede ejercer control cuando se presenta una emoción extrema. Lo que sí puede determinar es cuánto va a durar dicha emoción.

Un aspecto emocional básico es la agresividad y la ira. Según Zillman, lo que detona el enfado es la sensación de amenaza, tanto física como simbólica (es decir, aquella que puede afectar a nuestra autoestima o amor propio). Al percibir esta amenaza se producirá una respuesta límbica (una activación de una parte del cerebro, el sistema límbico), produciendo una liberación de una sustancia química que libera nuestro cerebro (catecolaminas), que nos aportará la energía necesaria como para luchar o huir. Por otra parte, se producirá otra fuente de energía, gracias a la amígdala, que persistirá durante más tiempo que la descarga química inicial y que aportará el tono físico adecuado a la respuesta. Esta activación generalizada puede durar horas e incluso días, manteniendo al cerebro emocional predispuesto a la excitación, es decir, en un estado de hipersensibilidad, lo que explica por qué algunas personas parecen predispuestas a enfadarse una vez que han sido provocadas o han sido ligeramente excitadas.

Todo esto nos da una visión más clara de por qué cuando, por ejemplo, una madre que trabaja, que tiene que levantarse temprano para llevar a los niños al colegio, ir a su oficina, aguantar a su jefe, volver a la casa, hacer de comer, ir a por los niños a la salida del colegio, darles de comer, etc... es más probable que al final del día no pueda aguantar más y empiece a gritarles por el simple hecho de que estén viendo la tele tumbados en el suelo.

¿PODEMOS CONTROLAR NUESTRAS EMOCIONES?

La acción parece seguir al sentimiento, pero en realidad acción y sentimiento van de la mano; y regulando la acción, que está bajo el control más directo de la voluntad, podemos indirectamente regular el sentimiento, que no lo está.

William James

En el funcionamiento humano existen tres aspectos psicológicos básicos, que son: pensamientos, emociones y conductas. Estos tres aspectos están interrelacionados, de modo que los cambios en uno de ellos producen cambios en otro y viceversa. Si las personas cambian el modo en que piensan acerca de las cosas o de sí mismas, sentirán de modo diferente y se comportarán de diferente manera. Las experiencias vividas nos impulsan hacia un cambio de la percepción de la realidad y a su vez éstas lo hacen a nivel emocional, cognitivo y conductual.

Por ejemplo, después de un fracaso en una tarea, podemos pensar: "soy un inútil que no hace nada bien; no vale la pena ni intentarlo, seguro que otros lo harán mejor que yo", aquí las emociones y la conducta posterior serán muy diferentes que si pensamos: "bueno, he fracasado en esto, pero eso no me convierte en un inútil, solo en un ser humano que comete errores, como todos los demás; veré lo que puedo hacer para arreglarlo". En el primer caso, no es de extrañar que aparezcan sentimientos de ineptitud y baja autoestima y que el comportamiento sea de abandono, mientras que en el segundo caso, podemos sentir preocupación o cierta tristeza, pero estas emociones no serán lo bastante intensas e incapacitantes como para impedirnos solucionar el problema, seguir adelante y aprender cómo hacerlo mejor la próxima vez.

Si, tal como hemos dicho, aceptamos que el pensamiento, las emociones y la conducta están íntimamente ligados, podremos comprobar que el ser humano tiene entonces la capacidad de modificar sus procesos de pensamiento, pudiendo de esta manera lograr diferentes maneras de sentir y comportarse. Es fácil comprender que si fueran los sucesos exteriores los determinantes de nuestra conducta, ante una situación determinada, todos sentiríamos y reaccionaríamos de la misma manera, cosa que no ocurre. Esta idea relativa al origen de las emociones no es nueva, los antiguos filósofos griegos ya la postulaban. Y la verdad es que cuando ocurre un hecho externo la emoción no aparece inmediatamente después, sino que entre ambos se produce nuestro pensamiento, en el hacemos una rápida, a veces casi instantánea, valoración del suceso antes de reaccionar. Por ejemplo, la sorpresa podemos pensar que es una emoción que surge inmediatamente: oímos un ruido y nos sorprendemos. Pero no, porque si es un ruido que hemos escuchado con anterioridad, aunque sea algo inesperado o fuerte, ya no nos sorprenderá, o al menos no en la misma medida, lo cual nos indica que ha pasado por un filtro, que es nuestro cerebro y éste ha hecho una rapidísima valoración previa. Esto ocurre por lo que en psicología cognitiva se llama desensibilización, que es una forma de acostumbrarse a un suceso después de que este se repita muchas veces y por ello ya no nos causa un efecto tan agudo.

Por lo tanto, también podemos verificar el siguiente gráfico:

Las emociones y conductas humanas son el resultado de lo que las personas piensan, asumen o creen acerca de sí mismos, de otras personas y del mundo en general. A lo largo de nuestra vida son las actitudes y las acciones repetidas de una persona las que han construido su realidad actual, por lo tanto, un cambio en la percepción de esta realidad la conducirá hacia un cambio de reacción y de acción. No son las situaciones, somos las personas con nuestros propios pensamientos las que provocamos nuestras emociones.

De modo que, respondiendo a la pregunta formulada en este capítulo, la conclusión es que definitivamente SÍ, podemos controlar y a la vez cambiar nuestras emociones, además, al igual que aprendemos continuamente a hacer cosas nuevas, como cocinar una nueva receta, entender una actualización en el trabajo, recordar el nombre y la cara de una persona que nos han presentado, etc. La Inteligencia Emocional también se puede aprender con las pautas adecuadas, y muchas personas lo hacen diariamente.

APRENDIENDO A USAR LA INTELIGENCIA EMOCIONAL

Hoy seré el maestro de mis emociones.

Og Magdino

TODO ES RELATIVO...

Las emociones, como ya hemos visto, son un mecanismo de supervivencia relacionado con la inteligencia y aprovechado en la evolución de las especies, la cual ha permitido a nuestros antepasados sobrevivir hasta hoy, y también a nosotros nos permite seguir sobreviviendo. No podemos, por tanto, calificar a las emociones como "negativas" o "positivas" prescindiendo de todo contexto en el que ellas se producen.

Por ejemplo, en principio podríamos pensar que la ira es una emoción negativa, y que lo mejor para nosotros sería no experimentarla nunca. Pero si careciéramos completamente de ira, habría situaciones que no podríamos resolver adecuadamente, porque requieren la activación de cierto impulso agresivo por nuestra parte, como por ejemplo la resolución de situaciones de injusticia hacia nosotros u otras personas, o la defensa de nuestra propia vida. Lo mismo ocurre con el miedo, que es una señal de que algo, ya una situación u otra persona, representa un peligro potencial para nosotros. Sin esta advertencia no podríamos adaptarnos a los constantes cambios en nuestro medio ambiente y nuestra supervivencia estaría en peligro.

También es falso que haya emociones que sean siempre son positivas. Esto podría ocurrir, por ejemplo, con la alegría. En un principio podríamos pensar que es algo bueno estar siempre alegres, pero este sentimiento en ocasiones se encontrará fuera de lugar. Imaginemos que en la empresa en la que trabajamos se ha decidido hacer una reducción de personal, y durante días hemos estado ansiosos y preocupados por quedarnos sin trabajo. Finalmente un compañero nos da la noticia de que seguimos en la empresa, pero que a él lo van a despedir, ¿estaría bien sentir alegría en ese momento, porque hemos logrado seguir en la empresa, o sería más sensato atender a la preocupación de nuestro compañero?

Como podemos ver, no existen emociones positivas o negativas en su totalidad, ya que todas ellas dependen del contexto y las circunstancias en el que se manifiestan.

DOSIFICANDO LAS EMOCIONES

Qué emociones es correcto mostrar en público y cuáles no, todo dependerá de los modelos sociales con que nos hayamos criado y de donde nos encontremos. Los modelos están definidos todos ellos de manera distinta, no sólo según las diferentes culturas, sino también entre los pequeños grupos de la sociedad, como por ejemplo entre hombre y mujeres.

Sin ir más lejos, culturalmente las normas válidas para los hombres suelen ser diferentes que para las mujeres. Por ejemplo, un mismo comportamiento se considerará de muestra de sensibilidad en una mujer y de poco masculino en un hombre. Una determinada actitud en él se puede considerar de espíritu emprendedor y dinámico, y en ella de agresividad. El pragmatismo de ellos, puede parecer frialdad y dureza en ellas. La muestra de nuestras emociones es aprendida desde la infancia, pues ya de niños nos enseñan que al recibir un regalo, aunque no nos agrade, también hay que mostrar respeto dando las gracias o que no hay que hacer un drama cuando perdemos en un juego. Pero no es nada sencillo dosificar las emociones al mostrarlas: un exceso de modestia, admiración o consideración puede producir en el otro un efecto tan irritante como la exteriorización exagerada de las emociones.

De manera que, cuanto mayor es nuestra competencia social, mejor se adaptan nuestras emociones a las reglas de expresión que son aceptables en un contexto social. Estas reglas determinan quién, cuándo y qué emociones pueden manifestarse hacia fuera y de qué manera. Dependiendo de la situación, puede que sea necesario:

- Minimizar la emoción ("Gracias, es que he tenido un buen día" después de una conferencia en público que nos ha salido bien).

- Exagerar la emoción ("Bien hecho", un niño está empezando a escribir y lo hace lo mejor que puede).

- Compensar una emoción ("Por desgracia tenemos un compromiso familiar. En otro momento nos habría encantado ir" al recibir una invitación a un evento que no nos apetece ir).

La Inteligencia Emocional, según Daniel Goleman, se basa en cinco *competencias emocionales*. El autor define la **competencia emocional** como "la capacidad adquirida basada en la Inteligencia Emocional que da lugar a un desempeño laboral sobresaliente". Es decir, serían como habilidades adquiridas en la práctica diaria de nuestras competencias (por ejemplo, la habilidad de trato con el público). Estas capacidades son necesarias para el mundo laboral, pero no son menos indispensables en la vida diaria.

LAS COMPETENCIAS EMOCIONALES

Las competencias emocionales son las diferentes habilidades que disponemos para manejar nuestras emociones lo mejor posible. Todas ellas son aprendidas, por ese mismo motivo pueden trabajarse para ser modificadas en cualquier momento de nuestras vidas.

1. AUTOCONOCIMIENTO EMOCIONAL O CONCIENCIA DE UNO MISMO

Esta es una habilidad que utilizamos para reconocer nuestras emociones y sus consecuencias. Si queremos desarrollar esta capacidad es el momento de mirar en nuestro interior. En muy importante conocer el modo en el que nuestro estado de ánimo influye en nuestro comportamiento, cuáles son nuestras virtudes y nuestros puntos débiles. Pero no es extraño que nos sorprendamos de lo poco que conocemos y comprendemos nuestras emociones (y eso que pasamos muchísimo tiempo con nosotros mismos). Podemos hacer la prueba con un suceso profundamente emocional que nos haya sucedido, dediquemos un tiempo a examinarlo: ¿Qué sucedió? ¿Qué sentimos en ese momento? ¿Qué sentía exactamente en mi cuerpo? (acaloramiento, palpitaciones, molestias en el estómago, sudor...) ¿Cuánto duró el sentimiento? ¿Creo que afectaron las emociones a la forma de solucionar la situación? ¿Tuvieron las emociones una función positiva o negativa? ¿Por qué creemos que actuamos de esa forma? Este diálogo con nosotros mismo (es más eficaz si lo escribimos), puede ayudarnos a reconocer nuestras propias emociones.

Es el momento entonces de realizar una valoración adecuada de nosotros mismos para conocer nuestras fortalezas y nuestras debilidades. Esto puede ayudarnos a medir qué posibilidades de éxito o fracaso tenemos, además tiene una doble vertiente. Por una parte nos permite llevar a cabo pequeños retos cotidianos de forma que podamos realizarlos con éxito y nos previene de la frustración de fallar y no saber por qué. Si conocemos nuestras fortalezas, intentaremos usarlas para resolver una determinada situación, si conocemos nuestras debilidades las ocultaremos para evitar que nuestro "talón de Aquiles" sea el culpable de nuestro fracaso.

Todo esto nos encaminará a tener una mayor confianza en nosotros mismos y seguridad en nuestras capacidades. Esta habilidad nos permite también expresar y mantener puntos de vista propios al margen de la opinión general del grupo y tomar decisiones a pesar de la incertidumbre y las presiones.

> **Ejercicio de autoconocimiento emocional**: En la televisión vemos continuamente noticias de personas que les ocurren cosas malas, como por ejemplo una familia que está siendo desahuciada. ¿Te has parado a pensar en esa situación? ¿Qué sientes cuando lo ves? ¿Sientes angustia? ¿Por qué? ¿Piensas qué harán ahora las personas desahuciadas? ¿Temes que te pueda pasar a ti? ¿Te sientes triste? ¿Inseguro/a? ¿Es posible que incluso sientas curiosidad, morbosidad? ...

2. AUTOCONTROL EMOCIONAL O AUTORREGULACIÓN

El **autocontrol** nos permite no dejarnos llevar por los sentimientos del momento. Es saber reconocer qué es pasajero en una crisis y qué perdura. Es posible que nos enfademos con alguien del trabajo o con un familiar, pero si nos dejásemos siempre llevar por el calor del momento estaríamos continuamente actuando irresponsablemente y luego pidiendo perdón por ello. ¿Quién no ha estado alguna vez enfadado? Seguramente todos hemos sentido en algún momento esta emoción, porque razones para estar enfadados siempre hay, aunque éstas raramente son buenas.

El enfado parece ser el estado de ánimo más persistente y difícil de controlar, ya que nuestros pensamientos internos

nos van a dar siempre una variedad de argumentos convincentes para justificar el hecho de poder descargar este enojo sobre alguien. De esta forma, cuantas más vueltas le demos a aquello que ha suscitado nuestro enfado, más razones y justificaciones encontraremos para seguir enfadados.

Otra de las emociones poco agradables que nos acosa con asiduidad es la tristeza, aunque no debemos olvidar que este estado de ánimo, al igual que cualquier otro, tiene sus facetas positivas, siempre y cuando no se convierta en un estado que interfiera con su vida. Así, por ejemplo, ante una pérdida irreparable, la tristeza nos aporta un refugio reflexivo que nos lleva a un período de retiro y de duelo necesarios para asimilar nuestra pérdida, ayudándonos a restablecernos y seguir adelante. Pero si esto se convierte en una obsesión, la preocupación por aquello que nos deprime sólo servirá para que se agudice y prolongue más esta depresión.

Ahora te proponemos que realices el siguiente cuestionario sobre el autocontrol. Debes contestar lo más sinceramente posible:

Cuestionario de autocontrol:

Señala una de las tres respuestas (a, b ó c):

1) Un amigo o amiga me ha atacado injustamente. Por la noche:

    a. Todavía sufro por el insulto

    b. Pienso en la manera de vengarme

    c. Me olvido y me dedico a otras cosas

2) Ahora que los días son más largos:

    a. Vuelvo a ser la persona alegre que realmente soy

b. Mis sentimientos y estados de ánimo no cambian con el tiempo

c. Estoy más animado

3) Voy a comprar y dispongo de bastante dinero:

a. A menudo compro más de lo que realmente necesito

b. Sólo gasto lo que tenía pensado

c. En ocasiones me permito algún capricho

4) Qué opinas de la frase: "Los problemas se pasan mejor bebiendo":

a. Estoy de acuerdo, a mí también me gusta ahogar las penas bebiendo un poco

b. No estoy de acuerdo, es peligroso hacer caso de la frase

c. En general no es correcto, pero a veces, un traguito en momentos de crisis me va bien

5) Mi conciencia:

a. No siempre realiza su trabajo

b. Permanente me mantiene alerta

c. Me avisa cuando cometo un gran error

6) Mi estado de ánimo está:

a. En ocasiones incontrolado

b. Siempre controlado

c. Bastante controlado

7) Delante de los hijos, los padres, en relación con sus propios errores, deben:

a. Reconocerlos

b. Ocultarlos

c. No reconocerlos claramente, pero admitir que los adultos también cometen errores

8) Las tres cualidades que se deben inculcar en los niños para poder ir por la vida son:

a. Capacidad para pasárselo bien, ambición y poder para imponerse a los demás

b. Obediencia, poder de concentración y disciplina

c. Educación, capacidad de aprendizaje y alegría

9) Una pareja

a. Puede pelearse en alguna ocasión

b. No debe pelearse

c. Sólo puede pelearse si no puede entenderse de ninguna otra manera

10) Si tengo problemas de ánimo:

a. Me atacan al estómago y pierdo el apetito

b. Procuro que mi cuerpo tenga una alimentación equilibrada y sana

c. Me compro dulces y chocolate

Solución: cuenta las veces que has contestado a cada valor y colócalas en esta relación:

Respuesta	Número de veces
A	
B	
C	

Entre 6 y 10 respuestas de tipo A: Tu autocontrol no te impide vivir con alegría, todo lo contrario porque tienes más bien poco. Nunca te han insistido en la idea de que una persona debe luchar y controlarse absolutamente, eres un espíritu libre, pero por desgracia las emociones intensas fácilmente te desbordan, tanto las positivas como las negativas, por ese motivo a veces sufres más de lo que desearías.

6 y 10 respuestas tipo B: Eres una persona con un gran autocontrol. No luchas contra los demás sino que buscas un equilibrio en ti mismo. El precio que debes para por esta conductas es un grado muy alto de disciplina. Te exiges mucho y evitas determinados placeres o satisfacciones de la vida por motivos éticos.

Entre 6 y 10 respuestas tipo C: Has encontrado un buen equilibrio entre autocontrol y libertad. Tienes conciencia de que a menudo las personas son demasiado exigentes. No te impones muchas obligaciones pero sabes que algo de disciplina es muy útil. No te angustias con tus obligaciones: hay que ser libre y hay que ser autodisciplinado siempre que sea necesario, pero solo entonces.

Según Goleman la autorregulación es la "capacidad de controlar nuestros impulsos y sentimientos conflictivos", y sería la base de cinco habilidades emocionales básicas:

1. **Autocontrol**: Es la aptitud que nos permite mantener bajo control las emociones e impulsos conflictivos, evitando que tomen las riendas de nuestra vida. Todos alguna vez nos hemos encontrado desbordados por una emoción que nos ha hecho actuar de manera exagerada y contraproducente. Esta habilidad nos permite controlar los sentimientos impulsivos, permanecer equilibrados en los momentos críticos y pensar con claridad a pesar de las presiones.

2. **Confiabilidad**: Las personas confiables son sinónimo de responsables, son personas que actúan de forma ética y su sinceridad proporciona confianza

a los demás, admiten sus propios errores y mantienen firmes su postura aunque resulte impopular.

3. **Integridad**: La integridad está fundamentada en la responsabilidad, y las personas que disponen de esta capacidad suelen cumplir con su palabra, se responsabilizan de sus objetivos y son organizados en la vida y el trabajo.

4. **Adaptabilidad**: Consiste en adaptarse a los cambios y ser flexibles ante los acontecimientos.

5. **Innovación**: Las personas que presentan esta facultad, saben cómo encontrar nuevas ideas y aportar soluciones originales a los problemas.

Ejercicio para mejorar el autocontrol: Una de las técnicas más utilizadas para aumentar el autocontrol emocional es la relajación muscular progresiva y la respiración. Estas técnicas actúan a un nivel muy básico de las emociones, y pueden ayudar a cortar la cadena emocional antes de que tomen el poder y nos "secuestren".

Actividad de respiración: para alcanzar una máxima efectividad hay que entrenar este ejercicio una o dos veces al día durante un par de semanas. Cuando lo hayas aprendido de la forma en que te indicamos tumbado, intenta realizarlo en distintas posiciones y situaciones: sentado, de pie, en la cola del supermercado....

1. Estírate en el suelo sobre una manta o alfombra. Flexiona las rodillas y separa los pies unos 20 cm. Comprueba que la columna vertebral está recta.

2. Busca tensiones en tu cuerpo.

3. Coloca la mano izquierda sobre el vientre y la derecha sobre el pecho.

---

4. Aspira lentamente por la nariz y llena el vientre de aire. Observa la mano izquierda cómo sube. El pecho, en cambio, se tiene que mover poco.

5. Espira el aire por la boca suave y lentamente. Realiza respiraciones largas, lentas y profundas que te hagan subir y bajar el vientre. Concéntrate únicamente en la sensación de respirar.

6. Continúa el ejercicio durante cinco o diez minutos.

7. Al final de cada respiración profunda examina si tienes alguna tensión en el cuerpo.

3. AUTOMOTIVACIÓN

Significa saber dirigir las emociones hacia un objetivo, lo cual nos permite mantener la motivación y fijar nuestra atención en las metas en lugar de en los obstáculos. En esto es necesaria cierta dosis de optimismo e iniciativa, de forma que seamos emprendedores y actuemos de forma positiva ante los contratiempos.

Un aspecto esencial si queremos lograr nuestro objetivo es no fijar nuestra atención en los problemas, sino en cómo superarlos. De nada nos sirve una mente inteligente si antes el primer obstáculo nos derrumbamos porque las cosas no van como desearíamos que fuesen.

Como ya dijera muy acertadamente Alexander Graham Bell: "Cuando una puerta se cierra otra se abre; pero en ocasiones vemos por mucho tiempo y con mucho remordimiento la puerta cerrada, y por eso no vemos las que se han abierto para nosotros."

Si nos paramos a pensar en la ansiedad y la preocupación nos encontramos con una paradoja: la misma excitación e interés para hacer bien un examen motiva a algunos estudiantes a prepararse y estudiar para la ocasión, a la vez que puede sabotear a otros, ya que su nivel de excitación o ansiedad estará interfiriendo con su pensamiento. Debemos ser cautelosos con esto, porque puede llegar a producirse una "profecía autocumplida", es decir, eso que más tememos o pensamos que ocurra, acaba sucediendo. Como cuanto más preocupados estamos por suspender un examen, esta ansiedad de alguna forma interferirá con nuestro pensamiento, haciendo que seamos menos capaces de pensar con claridad y buscar la opción correcta (es lo que les ocurre a algunas personas cuando van a hacer un examen y justo en ese momento sienten se han quedado en blanco, su nivel de ansiedad está interfiriendo con el funcionamiento normal de su pensamiento).

En la década de los sesenta, el psicólogo Walter Mischel de la Universidad de Columbia realizó un estudio con niños de cuatro años de edad, con la intención de demostrar que el nivel de control de los impulsos en esa época infantil podría ser premonitorio del carácter y de la manera de ser de las personas en la edad adulta. Este estudio se llamó "test de la golosina" y consistía en dejar a un niño solo en una habitación delante de una golosina, sin ningún adulto que le vigilara. Se le decía que si quería podía comérsela, pero si se esperaba 20 minutos, se le daría otra más. Además, no podía levantarse de la silla. ¿Podían los niños aguantar la tentación? ¿Cómo gestionaba su angustia un niño de 4 años? Walter observó que para resistir los niños hacían de todo: cantaban canciones, se daban la vuelta, jugaban con los dedos, hablaban con ellos mismos...

Este experimento está estrechamente relacionado con la Inteligencia Emocional que desarrolla cada niño: pone a prueba su paciencia, su capacidad de automotivación y su resistencia a la frustración. De hecho, años más tarde se comprobó que aquellos niños que habían resistido la tentación, es decir, no cogieron la golosina y tuvieron paciencia para conseguir dos, eran socialmente más competentes, tenían mayor eficacia personal, eran más emprendedores, más capaces de afrontar las frustraciones de la vida, poco proclives a desmoronarse, no se quedaban sin respuesta cuando se les presionaba ni se desconcentraban, afrontaban los riesgos, confiaban en sí mismos y eran más honrados y responsables. Los que sí cogieron la golosina eran más temerosos de los contactos sociales, más testarudos, más indecisos, más perturbados por las frustraciones, se quedaban paralizados ante situaciones tensas, eran desconfiados, celosos, envidiosos, reaccionaban desproporcionadamente a las tensiones y tenían más tendencia a enzarzarse en disputas y peleas.

A menudo nos encontremos con que debemos realizar alguna tarea que no nos resulta atractiva. Todos sabemos que en esos casos nuestro desempeño en la tarea va a ser más bien pobre. Entonces, ¿Qué hace que estemos motivados para realizar una acción?

Se han estudiado cuatro competencias en el área de la motivación:

1. **Motivación de logro**: La motivación de logro es el impulso que nos lleva a mejorar o destacar en aquello que realizamos. Las personas con esta capacidad tienen una gran motivación por cumplir sus objetivos, no dudan en asumir retos y desafíos y aprenden a mejorar sus tareas.

2. **Compromiso**: El compromiso es sintonizar con los objetivos del grupo o la organización, ya sean en el trabajo, en un grupo social o familiar. Las personas comprometidas están dispuestas a sacrificarse por un objetivo superior, buscando siempre la oportunidad para cumplir la misión del grupo.

3. **Iniciativa**: Las personas con iniciativa aprovechan las oportunidades y persiguen sus objetivos más allá de los límites impuestos o esperados, saltándose las rutinas habituales cuando es necesario.

4. **Optimismo**: Las personas con optimismo ven la vida como un reto, siempre pensando en el éxito y no en el fracaso y no se desaniman ante los pro-

blemas que puedan surgir en el camino hacia su objetivo.

4. EMPATÍA O RECONOCIMIENTO DE EMOCIONES AJENAS

La empatía es la capacidad cognitiva de percibir lo que sienten los demás. La clave radica en captar los mensajes tanto verbales como no verbales de nuestro interlocutor. Así, por un lado, tenemos que la mente racional se transmite a través de las palabras, y por otro, que la mente emocional se transmite a través del lenguaje corporal.

Las relaciones sociales se basan muchas veces en saber interpretar las señales que los demás emiten de forma inconsciente y que a menudo son no verbales. El reconocer las emociones ajenas, aquello que los demás sienten y que se puede expresar por la expresión de la cara, por un gesto, por una mala contestación, nos puede ayudar a establecer lazos más reales y duraderos con las personas de nuestro entorno. El reconocer las emociones ajenas es el primer paso para entenderlas e identificarnos con ellas.

Algunos estudios han demostrado que lo que nos está realmente influyendo cuando recibimos un mensaje no es tanto el qué se transmite (el contenido del mensaje), sino el cómo se está transmitiendo (la forma de hacerlo), ya que es aquí, en el cómo, donde se perciben el tono de voz, timbre, gestos... que se captan de una forma inconsciente. A veces pensamos que es nuestra "intuición" la que nos avisa de que algo o alguien no nos gusta, es como cuando decimos: "no sé por qué, pero ha habido algo que no me ha gustado de tal persona"; en este ejemplo vemos claramente que de una forma inconsciente hemos percibido algo en el tono de voz o en los gestos del interlocutor que nos estaba haciendo sentir mal.

Algunos autores también han señalado que empatía es actuar con la persona como a nosotros nos gustaría que actuasen con nosotros en sus circunstancias. Si nos paramos a meditarlo un poco, nos daremos cuenta de la gran cantidad de injusticias, sufrimientos y conflictos sociales cotidianos que se solucionarían si supiésemos reconocer al instante las emociones de los demás. Pero, ¿bastaría con reconocer la emoción de la otra persona para ser empático? Ese sería el primer paso, luego habría que actuar en consecuencia (por ejemplo, sabemos que a alguien se le ha puesto muy enfermo un familiar querido, pero aun entendiendo sus sentimientos y por lo que está pasando, no sabemos exactamente qué decirle).

Goleman ha descrito **5 competencias básicas** para el desarrollo de una sana empatía:

1. **Comprensión de los demás**: Básicamente se trata de entender cómo se sienten las personas, interpretando las señales emocionales y el lenguaje no verbal. Esta destreza permite interesarnos por las preocupaciones y estado emocional de las personas, comprendiendo sus necesidades y ayudándoles a superar sus obstáculos.

2. **Orientación hacia el servicio**: Esta habilidad se utiliza especialmente en el mundo laboral, sobre todo en el área del comercio donde se trata con clientes de los cuales depende el éxito de nuestro trabajo. Una persona con esta aptitud se anticipa a las necesidades del cliente con el objetivo de satisfacerle, asumiendo su punto de vista.

3. **Desarrollo de los demás**: Se trata conseguir ser una fuente de inspiración y desarrollo para los demás, ayudándoles a superarse y potenciar sus habilidades. Las personas dotadas de esta facultad reconocen y refuerzan los logros de los demás y muestran interés en su desarrollo.

4. **Aprovechamiento de la diversidad**: Gracias a esta habilidad es más fácil reconocer las posibilidades que nos brindan las demás personas de nuestro entorno. El desarrollo de esta competencia permite el respeto a las personas procedentes de diferentes

ámbitos y niveles sociales, comprender diferentes visiones de las cosas y afrontar los prejuicios y la intolerancia de forma inteligente. Estas personas ven la diversidad social como una oportunidad de trabajar con diferentes puntos de vista.

5. **Conciencia política**: En todo grupo (familiar, social, laboral, político ...) se forma tensiones debido a las relaciones de poder, ya que las personas siempre tratamos de imponer nuestro criterio tanto para tomar ventaja como para defendernos de una situación desventajosa. El advertir las relaciones de poder que subyacen en cualquier grupo, comprender las fuerzas en juego e interpretar la realidad del grupo en cuestión puede ayudarnos a que las relaciones de poder tengan un resultado positivo.

Dado que la empatía es en sí un proceso de comunicación, en el cual decodificamos e interpretamos un mensaje emocional, en este proceso es muy importante tener una buena dosis de atención y de escucha. Por otro, lado el que alguien se sienta escuchado, es a veces la mejor forma de mantener una buena relación.

Ejercicio sobre la capacidad de escucha:

Te proponemos que pongas en práctica los siguientes principios para mejorar tu capacidad de escucha hacia los demás. Este ejercicio no sólo es básico para el reconocimiento de emociones ajenas, sino que es de utilidad para otras competencias de las habilidades personales.

1. Acepta la realidad y el punto de vista del otro. El mundo no es de una única manera sino que hay una infinidad de visiones distintas.

2. Elimina los prejuicios. Cuando se escucha y se juzga a la persona según su sexo, edad, ideología... no estamos escuchando correctamente. El

---

prejuicio actuará como un filtro que no permitirá la buena comunicación.

3. Realiza preguntas abiertas que muestren interés. De esta forma, además de demostrarle interés, le indicas que estás siguiendo el hilo de lo que te está explicando.

4. Escucha también con el cuerpo. Tu mirada, actitud corporal, gestos de las manos, brazos, cabeza o incluso el contacto físico en determinadas ocasiones son mensajes que muestran tu disposición a escuchar.

5. Anima al otro a hablar. Haz gestos con la cabeza, con las manos, que muestren claramente que le das "permiso" para hablar y que estás dispuesto a escucharlo.

6. Evita actitudes y conductas de huida, apatía o desinterés.

7. Cuando escuches no pienses en otras cosas.

5. HABILIDADES SOCIALES

Esta última área consiste en la capacidad de conocer los sentimientos de los demás y de poder hacer algo para transformarlos. El requisito fundamental para llegar a controlar las emociones de los demás se basa en el desarrollo de dos habilidades emocionales de las que hemos hablado anteriormente: el autocontrol y la empatía.

Según Vicente Caballo (1998): "La conducta socialmente habilidosa es ese conjunto de conductas emitidas por un individuo en un contexto interpersonal que expresa los sentimientos, actitudes, deseos, opiniones o derechos de ese individuo de un modo adecuado a la situación, respetando esas conductas en los demás, y que generalmente resuelve los problemas inmediatos de la situación mientras minimiza la probabilidad de futuros problemas." Al relacionarnos con los demás estamos emitiendo señales emocionales que afectan a los que nos rodean. Muchos nos damos cuenta de que las emociones son "contagiosas", de forma que si alguien nos contesta de manera airada nos sentiremos enfadados, y si alguien que está feliz se sienta a nuestro lado y empieza a hablarnos y reír, acabaremos riendo con él.

Así, este arte de relacionarse con los demás es la capacidad de producir sentimientos en los demás. Esta habilidad es la base en la que se sustenta la popularidad, el liderazgo y la eficiencia interpersonal. Las personas con esta cualidad son más eficientes en todo lo que dice relación con la interacción entre individuos. Todos conocemos personas que parecen tener un toque especial en el trato con los demás. Son simpáticas, suelen caer bien a todos... pero además son capaces de encontrar soluciones a conflictos sin que la agresividad, el enfado o el nerviosismo hagan acto de presencia.

En este sentido encontramos que la *asertividad* es una habilidad íntimamente relacionada con las habilidades sociales. La asertividad es un término psicológico que define una forma de comportamiento social que favorece que nuestras relaciones sean cordiales, pero sin por ello dejarnos llevar por la pasividad o el "dejarnos pisar". Si sabemos mantener una conducta asertiva, podremos mantener nuestras opiniones y creencias delante de los demás con corrección y aceptando también las de los otros.

El comportamiento asertivo conlleva que la persona se sienta más satisfecha consigo misma y con los demás. El objetivo principal de la asertividad es mejorar la comunicación entre las personas y abrir caminos a pactos y compromisos cuando los intereses de las personas son opuestos.

Para muchos la forma de interaccionar con los demás puede convertirse en una fuente considerable de estrés en la vida. El entrenamiento asertivo permite reducir ese estrés, enseñando a defender los legítimos derechos de cada uno sin agredir ni ser agredido. Cuando se es una persona asertiva hay una mayor relajación en las relaciones interpersonales.

Para conseguir desarrollar nuestra asertividad es necesario potenciar las siguientes cualidades:

- Saber expresar nuestros sentimientos o deseos, tanto positivos como negativos, de una forma eficaz sin negar o desconsiderar los de los demás y sin crear o sentir vergüenza.

- No mostrarse agresivo ni tampoco demasiado pasivo.

- Saber discriminar las situaciones en las que la expresión personal es importante y adecuada.

- Saber defenderse sin agresión ni pasividad frente a la conducta poco cooperadora o razonable de los demás.

- Diferenciar la conducta asertiva o socialmente habilidosa, de la agresiva y pasiva.

La aserción implica tener respeto hacia uno mismo al expresar necesidades propias y defender los propios derechos y respeto hacia los derechos y necesidades de las otras personas. Las personas tienen que reconocer también cuáles son sus responsabilidades en esa situación y qué consecuencias resultan de la expresión de sus sentimientos. La conducta asertiva no tiene siempre como resultado la ausencia de conflicto entre las dos partes; pero su objetivo es la potenciación de las consecuencias favorables y la minimización de las desfavorables.

Lo contrario de la conducta asertiva son la conducta *pasiva* y la *agresiva*:

1. **Conducta pasiva:** Se asocia a sentimientos de culpa, ansiedad y baja autoestima. Una conducta pasiva es aquella en la que sentimos que se han transgredido de algún modo los propios derechos y no somos capaces de expresar abiertamente nuestros sentimientos, pensamientos y opiniones,

o al expresarlos lo hacemos de una manera auto-derrotista, con disculpas y con falta de confianza, de tal modo que los demás no nos suelen hacer caso. La no aserción por pasividad muestra una falta de respeto hacia las propias necesidades. En un inicio tomamos este camino para apaciguar a los demás y el evitar conflictos a toda costa, pero a la larga lo que causa es sensación de perder iden-tidad, resentimiento hacia uno mismo y hacia los demás, y decepción.

2. **Conducta agresiva:** Es la que nos lleva a defen-der los derechos personales y a expresar nuestros pensamientos y sentimientos de una manera in-apropiada, generalmente explosiva, y transgrede en la mayoría de casos los derechos de las otras personas. La conducta agresiva en una situación puede expresarse de manera directa o indirecta. La agresión verbal directa incluye ofensas verba-les, insultos, amenazas y comentarios hostiles o humillantes. las consecuencias a corto plazo pue-den ser favorables ya que la persona consigue su objetivo de forma agresiva y violenta, anulando el derecho de otras personas y generando odio y re-sentimiento. A largo plazo esta conducta hará que las personas eviten el contacto social con el agre-sor. El componente no verbal puede incluir gestos hostiles o amenazantes, como esgrimir el puño o las miradas intensas e incluso los ataques físicos. La agresión verbal indirecta incluye comentarios sarcásticos y rencorosos y murmuraciones mali-ciosas. Las conductas no verbales agresivas inclu-yen gestos físicos realizados mientras tenemos la atención de la otra persona se dirige hacia otro lugar o actos físicos dirigidos hacia otras personas u objetos.

De modo que, como ya hemos visto, la base de la con-ducta asertiva está en conseguir nuestros objetivos pero sin pisotear los objetivos y derechos de los demás.

En psicología se ha elaborado una tabla de "derechos aser-tivos básicos" para que todos tomemos consciencia de que, como personas, nos merecemos una serie de cosas, las cuales estamos en disposición de defender frente a los demás, para así mantener nuestra identidad y nuestra auto-estima positiva.

1. Derecho a ser tratado con respeto y dignidad.

2. Derecho a equivocarse y a ser uno responsable de sus propios errores.

3. Derecho a tener los propios valores y opiniones.

4. Derecho a tener las propias necesidades y que éstas sean tan importantes como las de los de-más.

5. Derecho a ser uno el único juez de sí mismo, a experimentar y a expresar los propios senti-mientos.

6. Derecho a cambiar de opinión, idea o línea de acción.

7. Derecho a protestar cuando se es tratado de una manera injusta.

8. Derecho a cambiar lo que no nos es satisfacto-rio.

9. Derecho a detenerse y pensar antes de actuar.

10. Derecho a pedir lo que se quiere.

11. Derecho a ser independiente.

12. Derecho a decidir qué hacer con el propio cuer-po y con el propio tiempo y las propias propie-dades.

13. Derecho a hacer menos de lo que humanamente se es capaz de hacer.

14. Derecho a ignorar los consejos de los demás.

15. Derecho a rechazar peticiones sin sentirse culpable o egoísta.

16. Derecho a estar solo aun cuando deseen la compañía de uno.

17. Derecho a no justificarse ante los demás.

18. Derecho a decidir si uno quiere o no responsabilizarse de los problemas de otros.

19. Derecho a no anticiparse a las necesidades y deseos de los demás.

20. Derecho a no estar pendiente de la buena voluntad de los demás.

21. Derecho a elegir entre responder o no hacerlo.

22. Derecho a hacer cualquier cosa mientras no se violen los derechos de otra persona.

23. Derecho a sentir y expresar el dolor.

24. Derecho a hablar sobre un problema con la persona implicada y en los casos límites en los que los derechos de cada uno no están del todo claro, llegar a un compromiso viable.

25. Derecho a escoger no comportarse de una forma asertiva.

Ejercicio de asertividad. A continuación te presentamos dos tablas, una con creencias que favorecen el comportamiento agresivo y otra que favorece el comportamiento pasivo, ¿con cuál te identificas más?

Creencias que favorecen el comportamiento agresivo:

1) Sólo yo tengo derecho a intentar conseguir mis objetivos y a defender mis derechos.

2) Sólo yo merezco ser respetado (en esta circunstancia, aquí, etc.) porque yo soy... y los demás son... (o no son...), y por tanto no merecen mi respeto.

3) Sólo yo tengo derecho a pedir o a pedirle ayuda, y los demás no pueden negarse. Sólo yo puedo negarme a prestar ayuda.

4) Sólo yo tengo derecho a sentirme... y a decírselo a... cómo se sientan ellos/ellas es su problema, a mí no me importa en absoluto.

5) Sólo yo tengo derecho a opinar sobre... los demás no lo tienen porque...

6) Sólo yo puedo equivocarme, y no me importan las consecuencias que tengan mis actos u opiniones; para algo soy el/la...

Creencias que favorecen el comportamiento no-asertivo:

1) Comportarse de forma asertiva, intentando defender mis derechos e intereses personales, es negativo. Si me comporto de esta forma, las otras personas se sentirán molestas y dejarán de apreciarme y considerarme su amigo/a.

2) Yo no merezco el respeto de...., porque él (o ella) es..., y yo no lo soy.

3) Yo no tengo derecho a pedirle ayuda a... No puedo negarle mi ayuda a..., por mucho que me cueste ayudarle.

4) Yo no tengo derecho a sentirme triste, enfadado, asustado, etc., y mucho menos decírselo a ...

5) Yo no tengo ningún derecho a opinar sobre... Sólo lo tiene/n porque son...

6) No puedo equivocarme ni en comportamiento ni en opinión.

Otras aptitudes importantes que generalmente presentan las personas socialmente habilidosas socialmente son las siguientes:

- **Influencia**: es la capacidad de convencer a otra persona de una idea, despertar emociones acerca de nuestros proyectos y conducir la situación hacia la meta que deseamos. Para convencer a alguien de que una idea es buena, generalmente no basta con meros razonamientos lógicos, sino que es necesario apelar a argumentos emocionales.

- **Comunicación**: Las personas dotadas de esta habilidad abordan abiertamente las cuestiones difíciles, escuchan y buscan la comprensión mutua, permaneciendo abiertos tanto a las buenas noticias como a las malas.

• **Gestión de conflictos**: El manejo de los conflictos incluye la negociación y resolución de desacuerdos. Esta competencia permite a las personas que la poseen tratar los conflictos con diplomacia, alentar la discusión abierta sin temores y buscar soluciones que permitan a todos una ganancia (relaciones de colaboración y no de competencia).

• **Liderazgo**: Todo grupo necesita un líder que organice el equipo y lo dirija firmemente hacia la meta. Las personas con capacidad de liderazgo estimulan el entusiasmo por el trabajo, toman decisiones cuando es necesario, guían el desempeño de los demás y enseñan con el ejemplo.

• **Catalizadores del cambio**: Las personas con esta aptitud ven la necesidad de cambiar, promueven el cambio y modelan los cambios en los demás.

LAS EXPRESIONES EMOCIONALES Y LA INTERACCIÓN SOCIAL

Las expresiones emocionales a menudo son motivadas socialmente y no emocionalmente. Esta idea suena extraña porque en general se da por sentado que las personas sonríen cuando sienten alegría y fruncen el ceño cuando se sienten tristes. Sin embargo, las personas muchas veces sonríen cuando no sienten alegría. A veces las personas sonríen sólo para "quedar bien" y de este modo facilitar la interacción social.

Los etólogos (científicos que estudian el comportamiento de los animales) al estudiar la expresión de la sonrisa en primates encontraron que los chimpancés usaban la expresión de la sonrisa para evitar la conducta posiblemente hostil de animales dominantes, y para mantener y aumentar las interacciones de carácter amistoso. Así como los primates sonríen (es decir, enseñan los dientes) para apaciguar a dominantes, los niños pequeños tienen más probabilidades de acercarse a un extraño que sonríe que a uno que no sonríe.

Esto se aplica igualmente a adultos que cometen errores o que sienten vergüenza social. Es probable que sonrían en lo que vendría a ser un esfuerzo por arreglar el fallo. Además, la sonrisa es una muestra de bienvenida universal que parece decir, de forma no verbal, "soy amistoso" y "me gustaría que fuéramos amigos, por lo menos durante un tiempo". En cada una de estas circunstancias la sonrisa del individuo está motivada socialmente más que emocionalmente.

La idea de que una sonrisa puede ser motivada socialmente conduce a la pregunta de si el acto de sonreír evolucionó como una expresión emocional de alegría o como una expresión social de amistad. Para poner a prueba la hipótesis de que la sonrisa puede ser una expresión de amistad, los psicólogos Kraut y Johnson observaron en qué momentos sonreían las personas mientras jugaban a los bolos, al presenciar un partido de hockey y al andar por la calle. Los investigadores querían saber si las personas sonreían con más frecuencia cuando estaban interactuando socialmente o cuando tenían una reacción de alegría ante un acontecimiento positivo (por ejemplo: una puntuación buena jugando a bolos, un gol del equipo favorito, un día soleado). Por lo general se encontró que los jugadores de bolos, los espectadores y los viandantes tenían muchas más probabilidades de sonreír cuando estaban interactuando socialmente que cuando sentían alegría.

Las personas sonríen para facilitar la interacción social, independientemente de su estado emocional. Presumiblemente, la función de la sonrisa motivada socialmente es la de facilitar la interacción social.

ESTRÉS E INTELIGENCIA EMOCIONAL

La humanidad vive en un constante estado de estrés,
que tiende invariablemente al infinito.

Leonardo Jiménez

Todos nosotros hemos oído hablar muchas veces del estrés, es más, utilizamos este término a menudo cuando nos parece que no llegamos a cumplir nuestras tareas diarias o se nos acumulan problemas, obligaciones, necesidades, etc. Entonces, como para desahogarnos, le decimos a alguien: "estoy estresado". Pero en realidad, ¿sabemos de qué hablamos?

El término **estrés** (del inglés *stress*, "tensión") proviene inicialmente de la física y hace referencia a la presión que ejerce un cuerpo sobre otro, siendo aquel que más presión recibe el que puede destrozarse. Este término fue acuñado en los años 50 por Hans Selye, médico y fisiólogo que estudió en la Universidad de Praga, cuando publicó la que sería su investigación más famosa: *Estrés. Un estudio sobre la ansiedad*. Selye ya en los años 30, cuando todavía era estudiante, descubrió que en sus pacientes se presentaban ciertas constantes biológicas independientemente del tipo de enfermedad que sufrieran. A partir de dicha observación fue desarrollando una definición de estrés basada en la respuesta que dan las personas durante situaciones de tensión. La psicología rápidamente adoptó este término para poder denominar un conjunto de síntomas psicofisiológicos como son el cansancio, la pérdida de apetito, bajada de peso y astenia, entre otras, y que también se daban a conocer por aquel entonces como "síndrome general de adaptación". Los estudios de Seyle con posterioridad llevaron a plantear que el estrés es la respuesta inespecífica a cualquier demanda a la que alguien sea sometido y le cause tensión, como por ejemplo presentarse a un examen, a una entrevista de trabajo o incluso dar un beso muy apasionado.

Hoy en día el término de estrés se refiere a cualquier exigencia o estímulo que nos produzca un estado de tensión y que pida un cambio adaptativo por nuestra parte. Estos estímulos pueden ser de muchos tipos: una boda, hablar en público, una separación matrimonial, un viaje, un examen, etc. El estrés es en realidad una respuesta inespecífica con el que nuestro cuerpo responde a una demanda, ya tenga por resultado condiciones agradables o desagradables.

Actualmente todo el mundo utiliza esta palabra para referirse al agobio que produce una excesiva cantidad de trabajo o la desmesurada presión que se puede sufrir en cualquier situación de la vida cotidiana.

En términos psicológicos se han descrito dos fórmulas básicas para explicar mejor el *síndrome del estrés*:

1. Estímulo ambiental --> activación fisiológica --> pensamientos negativos = emoción dolorosa.

2. Estímulo ambiental --> pensamientos negativos --> activación fisiológica = emoción dolorosa.

Para que lo entendamos mejor, la primera fórmula se refiere a que un estímulo ambiental cualquiera, como puede ser poder compaginar la vida laboral con la vida privada, produce una serie de activaciones fisiológicas derivadas como son la tensión y el esfuerzo necesario para conseguirlo, lo cual iría seguido de una interpretación negativa por parte del sujeto: "no soy capaz". Finalmente aparecería en escena una emoción dolorosa como la ansiedad, la ira o la depresión. La emoción dolorosa depende en cualquier caso de la cantidad de activación sentida por cada persona.

En la segunda fórmula nos dicen que un estímulo ambiental, como puede ser el hecho de tener que dar una charla en público, da paso a pensamientos negativos: "si no me sale bien haré el ridículo, se reirán de mi", seguido de activación fisiológica concreta como dolor de barriga o acaloramiento súbito, y como consecuencia una emoción dolorosa (ansiedad). En este caso la diferencia reside en que todo se encuentra en nuestra mente, no estamos ejecutando ninguna acción para que aparezca el estrés, todo deriva de un solo pensamiento.

Por otro lado, y aunque no lo parezca, otra causa de estrés en nuestros días es la *frustración*, que se produce cuando no conseguimos llegar a una meta, un objetivo o a un deseo personal.

Hemos de tener en cuenta que con el paso de los años las personas hemos ido exponiéndonos cada vez más y más a ofertas de todo tipo, tanto material como no material, como puede ser la ropa de moda, móviles, tablets, ordenadores, coches, juegos, joyas, viajes, ocio en general, mejoras de todo tipo para el hogar, en fin una multitud de bienes a nuestra disposición que se convierten en verdaderas "necesidades". Cosas que en la época de nuestros abuelos no existían y por ese motivo tampoco echaban de menos. También nos hemos ido generando obligaciones cada vez más difíciles de cumplir, como tener un buen trabajo y bien retribuido, proporcionar la mejor educación posible a nuestros hijos, vigilar lo que comemos, hacer ejercicio para llevar una vida sana, estar radiantes... Y todo esto a todas horas.

Como podemos imaginar todas estas exigencias modernas son prácticamente inasumibles para la mayoría de los mortales, lo que acaba generando algún tipo de frustración.

Debemos pensar que delante de una frustración aparece ansiedad, nerviosismo, intranquilidad y angustia, lo cual nos puede producir reacciones inadecuadas y sensación de malestar. En numerosas ocasiones un acto agresivo hacia nosotros mismos o hacia los demás, deriva de una frustración previa.

Otra manera de ver el estrés es como respuesta fisiológica. Cuando estamos en una situación de tensión el cuerpo está padeciendo estrés, esta situación implica cambios fisiológicos, motores, nos movemos más rápido, aumenta la tensión arterial, estos cambios también se relacionan con cambios emocionales y conductuales. A más estrés, más padece nuestro cuerpo.

¿CUÁLES SON NUESTRAS RESPUESTAS ANTE EL ESTRÉS?

El estrés es un reflejo de nuestra percepción sobre lo que está aconteciendo, no de lo que acontece.

Rob McBride

No todas las personas responden igual al estrés, depende mucho de la personalidad, las reacciones individuales, de los mecanismos de defensa que se ponen en marcha y de las circunstancias socio-ambientales de cada momento.

En general se han descrito tres etapas por las que pasa una persona afectada por el estrés:

La primera etapa se produce con la denominada *reacción de alarma*, es una fase inicial de choque ante la presencia del agente estresor. Dicha respuesta está controlada por la liberación de adrenalina y ACTH (hormona adrenocorticotropa o corticotropina) y se caracteriza por la presencia de taquicardia, la disminución de la temperatura y la presión sanguínea. Posteriormente se produce la fase de contrachoque, que es una fase de defensa o reacción a la de choque (efecto rebote). Durante esta fase se producen síntomas opuestos a la de choque (hipertensión, hipertermia, etc.). Todos estos mecanismos los desarrolla el cuerpo para aumentar las probabilidades de supervivencia frente a una amenaza a corto plazo, no para que se los mantenga indefinidamente, tal como sucede en algunos casos.

La segunda etapa llamada *de resistencia*, se produce cuando el organismo se adapta de alguna forma al estresor, hay una desaparición de los primeros síntomas de la *reacción de alarma*.

Pero si el organismo continúa expuesto al estresor por mucho tiempo o pierde la capacidad de adaptación adquirida durante la fase anterior, se produce la tercera etapa o *etapa de agotamiento*, en la que reaparecen los síntomas de la fase de alarma y las consecuencias severas a largo plazo para el organismo. Este estado de alerta sostenido desgasta las reservas del organismo y puede producir diversas patologías (ansiedad, depresión, inmunodeficiencia, dolores musculares, insomnio, trastornos de atención, diabetes, etc.).

Los síntomas fisiológicos que pueden aparecer con el estrés son múltiples y diversos, depende de cada persona y situación. A continuación mostramos una lista de los más habituales:

- Dolor de cabeza
- Palpitaciones
- Alteraciones del apetito: comer en exceso o dejar de comer
- Fatiga
- Dolores musculares
- Náuseas
- Dificultad en la deglución (espasmos esofágicos)
- Mareos
- Dolores en el pecho, en la espalda, en el cuello
- Micciones frecuentes

- Disminución de la memoria
- Sudores fríos
- Crisis de angustia
- Insomnio
- Pesadillas
- Estreñimiento
- Diarrea
- Sarpullidos
- Disfunción sexual

En líneas generales el síndrome del estrés suele crear un circuito de retroalimentación negativo entre la mente y el cuerpo. De forma que para alguien aquejado de estrés su principal propósito sería romper este circuito cerrado. Se deben cambiar los pensamientos, las respuestas físicas y se debe, en la medida de lo posible, alterar la situación que dispara la reacción de alarma.

El estrés es una combinación de tres elementos: el ambiente, los pensamientos negativos y las respuestas físicas. Si conseguimos intervenir y cambiar alguno de estos tres elementos, podremos superar con éxito el estrés. Dondequiera que se intervenga el síndrome del estrés, se está actuando para romper el circuito de retroalimentación negativo. Los pensamientos negativos y la activación física ya no podrán incrementarse hasta producirnos emociones dolorosas. Con ello la persona habrá dado un gran paso hacia el cambio de su vida emocional.

¿CÓMO NOS AFECTA EL ESTRÉS?

Como ya dijimos anteriormente, cada persona responde de forma distinta a situaciones de estrés. Sobretodo lo que más varía de un individuo a otro es la intensidad con que "vive" una determinada situación. Por ejemplo, hay personas para las cuales el trabajo o el hecho estar ocupados prácticamente todas las horas del día no es verdaderamente una fuente de estrés, es un estímulo para estar activos, para otros, el mismo nivel de exigencia puede representar un tremendo desasosiego.

Pongamos otro ejemplo sobre la valoración de una situación:

"En un restaurante una mujer se levanta de repente, da una bofetada al hombre que está junto a ella y sale rápidamente del local.

Cada una de las personas que ha visto la escena reacciona a su manera; una mujer se sobresalta, un adolescente se encoleriza, un hombre maduro empieza a deprimirse..."

¿Por qué el mismo suceso provoca tan diferentes emociones? Porque en cada caso, la emoción del observador fue una consecuencia de sus pensamientos. El suceso fue interpretado, juzgado y etiquetado de tal forma que fue inevitable una respuesta emocional particular.

Todas las personas están constantemente describiéndose el mundo a sí mismas, dando a cada suceso o experiencia una etiqueta. Estas etiquetas o juicios se forman a lo largo de un interminable diálogo de cada persona consigo misma y colorean toda la experiencia con interpretaciones privadas. El diálogo podemos compararlo como una cascada de pensamiento que fluye de la mente sin interrupción. Raras veces nos damos cuenta de tales pensamientos, pues son automáticos, pero son lo suficientemente poderosos como para crear las emociones más intensas.

De manera que, la percepción que cada uno tenga de un acontecimiento, sumado a las diferencias tanto mentales como físicas de cada uno, marcarán finalmente nuestro efecto ante el estrés.

Para que puedas conocer un poco más de ti mismo sobre este tema, te proponemos que realices este sencillo **test que mide la "vulnerabilidad al estrés"**. A continuación aparece una lista de problemas que las personas a veces tenemos, léelos atentamente y contesta Sí, cuando consideres que el problema en cuestión te afecta habitualmente, y No en caso de que el problema no te afecte en absoluto o lo haga raramente.

1. ¿Tiendes a sufrir frecuentes dolores de cabeza?

Sí

No

2. ¿Tienes la sensación de estar constantemente en estado de tensión y de no hallarte nunca relajado/a?

Sí

No

3. ¿Normalmente te encuentras cansado/a y no te sientes lo suficientemente descansado/a y fresco/a después de dormir?

Sí

No

4. ¿Notas sensaciones de presión en la cabeza, como si tuvieras gomas muy tensas alrededor de ella?

Sí

No

5. ¿Tienes sensación de falta de energía e impulso y necesitas de todas las reservas de energía para realizar las tareas ordinarias?

Sí

No

6. ¿Notas temblores, excesivo sudor o taquicardia?

Sí

No

7. ¿Tienes problemas de sueño, pesadillas y no descansas lo suficiente por la noche?

Sí

No

8. ¿A veces tienes sensación de ahogo y tensión sin razón para ello?

Sí

No

9. Cuando llegas a la conclusión de que una situación te supera, al reflexionar un poco, ¿piensas que haces una montaña de un grano de arena?

Sí

No

10. ¿Crees que eres una persona excesivamente sensible y te das cuenta de que tus propios sentimientos te hieren con facilidad?

Sí

No

11. ¿Encuentras siempre algo por lo que preocuparte?

Sí

No

12. ¿Sueles sentarte para tener un momento de relax y pensar en los aspectos negativos del pasado y el futuro?

Sí

No

13. ¿Sueles ser bastante consciente de los procesos de tu propio organismo; tales como latidos violentos del corazón, pinchazos, etc.?

Sí

No

14. ¿Reaccionas en exceso ante pequeños problemas diarios, tanto en casa como en el trabajo?

Sí

No

15. ¿Crees que sucederá lo peor, aun cuando el riesgo es muy pequeño? por ejemplo, no sentirte tranquilo/a hasta que toda la familia está en casa, segura.

Sí

No

16. ¿Sientes el impulso de llamar a la oficina o a la familia durante las vacaciones para asegurarte de que todo va bien?

Sí

No

17. ¿Te tomas a nivel personal todo aquello que sale mal?

Sí

No

18. ¿Experimentas sobresaltos cuando suena el teléfono o se produce algún pequeño ruido extraño?

Sí

No

19. ¿No eres capaz de concentrarte regularmente?, ya sea en casa o en el trabajo, te distraes fácilmente por problemas irrelevantes y poco deseados

Sí

No

20. ¿Experimentas oleadas de miedo, ansiedad o sensaciones de pánico sin razón aparente?

Sí

No

21. ¿Generalmente tienes muchas dudas y empleas demasiado tiempo para tomar decisiones, dejando a un lado cosas que tienen que hacerse?

Sí

No

22. ¿Sientes que se estás perdiendo el control sobre muchas situaciones de la propia vida? Piensas a menudo que eres víctima de las circunstancias

Sí

No

Si has respondido SÍ a la mitad o más de las preguntas, significa que eres una persona extremadamente vulnerable a los contratiempos de la vida, y en consecuencia a sufrir estrés. En caso contrario, si has respondido NO en más de la mitad de las preguntas, significa que como persona dispones de suficientes recursos emocionales para afrontar la mayoría de situaciones que se presentan en tu día a día y, por lo general, sabes encontrar las soluciones apropiadas en los momentos difíciles.

Básicamente existen tres niveles de análisis cuando queremos medir la **cantidad de estrés** que alguien está sufriendo.

El primer elemento en el análisis del estrés son las situaciones, o lo que en psicología llamamos *demandas psicosociales*. Las situaciones estresantes pueden clasificarse en dos grupos: sucesos vitales, que son las experiencias objetivas que amenazan nuestras actividades normales, como por ejemplo la pérdida del trabajo, el cambio de residencia, la muerte de un ser querido, etc. Luego están los sucesos menores (estrés diario). Estos sucesos menores o contrariedades incluyen situaciones tales como atascos de tráfico, inclemencias del tiempo, discusiones, etc. Son sucesos de menor impacto que los sucesos vitales pero de mayor frecuencia.

El segundo elemento es la *evaluación cognitiva*. La evaluación o valoración cognitiva es el proceso por el que el individuo da significado (en términos de amenaza para su bienestar) a una situación. Esta valoración se divide en dos procesos: valoración primaria y valoración secundaria. En la valoración primaria el individuo determina el daño o beneficio potencial de la situación (amenaza, daño o pérdida, desafío y beneficio). En la valoración secundaria la persona valora sus recursos de afrontamiento y las diferentes opciones de que dispone.

El tercer elemento es la respuesta del individuo al estresor o el llamado *afrontamiento*. El afrontamiento puede entenderse como una propiedad relativamente estable del individuo, como una forma o estilo de ser, o también como un proceso.

En el primer caso, si entendemos el afrontamiento como un estilo de ser, el psicólogo Carl-Walter Kohlmann definió en 1993 cuatro estilos o modos básicos de afrontamiento:

- **Vigilante rígido**, caracterizado por la tendencia a buscar información sobre el estresor de manera anticipada (son personas que se estresan por cualquier incertidumbre).

- **Evitador rígido**, que tiende a prestar poca atención a las características amenazantes del estresor debido al malestar que estas generan; evitando toda situación que le pueda llegar a comprometer o traer conflicto de alguna forma.

- **Flexible**, que es aquella persona que ante una situación de amenaza tolera la incertidumbre y la activación emocional, presenta una clara orientación al problema y sabe hacer un uso flexible de las estrategias de afrontamiento.

- **Inconsistente**, es aquel que se estresa tanto por la incertidumbre como por la activación emocional, de forma que cuando se aleja del estresor para evitar la incertidumbre aparece la activación emocional y para evitar ésta se aproxima al estresor, lo que genera incertidumbre nuevamente.

Por otra parte, la concepción del afrontamiento como un proceso implica:

a) Que el afrontamiento es independiente del resultado que obtengamos y depende básicamente del contexto, por lo tanto, no existen estrategias universalmente eficaces.

b) Que el afrontamiento depende sobretodo de la evaluación que hagamos sobre las posibilidades de control, determinando así dos tipos generales de afrontamiento: orientado al problema y orientado a la emoción en sí.

c) La naturaleza de la respuesta: nuestra conducta frente a nuestros pensamientos (conductual vs cognitiva).

Otros factores como el apoyo social, tendrían también un potente efecto modulador sobre las reacciones o respuestas ante el estrés.

Así nuestras principales respuestas frente al estrés finalmente pueden ocurrir tanto a nivel fisiológico (problemas cardiovasculares, metabólicos, inmunológicos, etc.), como a nivel psicológico (preocupación, desesperanza y negación) y también motor (consumo de sustancias, agresividad…).

ENFRÉNTATE AL ESTRÉS

Las maneras de enfrentarse al estrés son diversas, y se basan en algo tan sencillo como aprender a utilizar "bien" la cabeza. Saber racionalizar nuestros pensamientos y controlarlos es lo más importante, pues el "cómo te lo tomes" determina, en último término, si uno puede adaptarse al cambio de forma exitosa sin padecer los síntomas negativos del estrés. Todo esto son conductas que implican un esfuerzo por nuestra para realizar cambios tanto emocionales como psicológicos. El arte del enfrentamiento al estrés es lograr mantenerse a un nivel de activación que sea placentero y saludable para uno mismo.

A continuación te proponemos hacer un test sobre tu forma de enfrentarte al estrés. En él se describen maneras de reaccionar ante situaciones diversas, léelas atentamente y responde Sí cuando consideres que la descripción se corresponde con tu modo habitual de comportarse en situaciones similares, y No en caso de que la descripción no se corresponda con tu manera habitual de hacer frente a la situación que se describe.

Test de "habilidades de enfrentamiento al estrés":

1. Puedo trabajar rápido cuando es necesario, pero también, tomarme mi tiempo cuando no hace falta correr

   Sí

   No

2. Nunca me siento culpable cuando tomo tiempo libre

   Sí

   No

3. Puedo controlar mi mal genio cuando pierdo la calma, siempre sigo teniendo el control y nunca rebaso el límite de lo que intento decir o hacer

   Sí

   No

4. Puedo dejar mi trabajo y relajarme en cualquier momento

   Sí

   No

5. Soy capaz de observar la gran cantidad de trabajo que debo realizar sin que ello me tiente a hacerlo y sin sentimientos de pánico, ante la presunción de que nunca lograré acabarlo

Sí

No

6. Si algo no sucede como yo esperaba, puedo ocuparme en algo distinto y olvidar lo acontecido

Sí

No

7. Puedo centrarme en una cosa a la vez y eliminar de mi mente otras que también debo afrontar

Sí

No

8. Normalmente suelo lograr que otras personas aprecien todos los lados de un problema

Sí

No

9. Puedo revisar el trabajo que debe realizarse sin que, antes de haber meditado convenientemente las cosas, sienta urgencia de pasar a la acción de forma inmediata

Sí

No

10. En periodo de vacaciones, puedo olvidarme con rapidez de los problemas laborales y comenzar a disfrutar desde el primer momento

Sí

No

11. Puedo superar las decepciones y contratiempos sin disgustarme demasiado; reconozco que no me puede salir todo tal y como deseo

Sí

No

12. Puedo olvidar mis errores sin demasiada dificultad y reconocer que no todo puede marchar como uno quiere

Sí

No

13. Puedo dejarme ir y disfrutar de mi tiempo de relajación

Sí

No

14. Puedo dirigir mi mente de un problema a otro sin que el primero interfiera con el segundo

Sí

No

15. No permito que las dificultades escapen a mi control, mis preocupaciones son constructivas y dirigidas a la solución del problema y no continuas repeticiones negativas de la dificultad

Sí

No

16. Normalmente puedo lograr un buen equilibrio entre lo que quiero y lo que otros esperan de mí

Sí

No

17. No me resulta demasiado difícil decir «no» a los empleados a mi cargo

Sí

No

18. Normalmente, puedo tratar con eficacia a las personas agresivas, logrando así soslayar la tensión de la situación

Sí

No

19. Soy capaz de defender mi punto de vista sin ser excesivamente agresivo, en la mayoría de las situaciones

Sí

No

20. Soy capaz de decirles a otras personas lo que quiero y pienso; no me quemo o exploto por dentro por querer decir algo y no hacerlo

Sí

No

21. Puedo delegar responsabilidades en otras personas

Sí

No

22. Cuando un colega me pide algo poco razonable puedo decirle «no» sin necesidad de llegar a un conflicto con él

Sí

No

Si has respondido que Sí a la mitad o más de las preguntas, es que tu capacidad para afrontar las situaciones estresantes es buena, cuantas más respuestas afirmativas mayor capacidad de afrontamiento posees. Cuando aparece una dificultad o un problema a tu vida prefieres pensar en la solución y no darle vueltas al problema compadeciéndote de ti mismo y de tu mala fortuna. Además, eres capaz de desconectar en un momento dado, y esto aporta estabilidad mental, pues es preciso no obsesionarse con ciertas cosas para evitar al máximo los estados ansiosos.

Si, por el contrario, has respondido No a más de la mitad de las preguntas, es que tu capacidad para afrontar las situaciones estresantes posee un nivel más bien bajo. Parece que hay ocasiones en que no eres capaz de encontrar la solución a los problemas de la vida sin que te autolimites con pensamientos como "porqué esto me pasa a mí", "no es justo" y otros de autocompadecimiento, te invaden sentimientos catastrofistas y te cuesta mucho evitarlos y reponerte. Intenta desconectar de vez en cuando sin sentir que "debes hacer…", "debes decir…" o "debes tener…", esto sólo provoca que nunca llegues a conseguir tus metas imposibles, sé menos exigente contigo mismo/a y con los demás.

Afortunadamente existen muchas técnicas que nos pueden ayudar a prevenir o neutralizar un alto nivel de estrés. No todas se exponen a continuación, pero sí las más básicas y eficaces. La efectividad de cada una de estas técnicas dependerá de la capacidad de cada persona para ponerlas en práctica de la forma adecuada. Además, es conveniente ponerlas en práctica a diario, ya que esto ayudará a desarrollar nuevos patrones de pensamiento y conducta que gradualmente se convertirán en automáticos.

- **Anticipación**: Consiste en anticiparse al estrés; siendo conscientes de que una situación previsiblemente nos comportará un estado de cierta ansiedad y preparándonos para poder controlarlo. Esto puede ser llevado a cabo de distintas formas, por ejemplo ensayando antes de un evento estresante (discurso o entrevista) para recorrer todos los detalles y ganar confianza.

- **Reducción de la importancia de un evento**: Existen varios factores que influyen en la interpretación de una situación como estresante, pero en la medida que le adjudiquemos una excesiva importancia, nos podrá afectar más o menos. Por ejemplo, si vamos a una primera cita con alguien que nos gusta y estamos pensando que si no sale bien va a ser un desastre total, que todo es nuestra culpa, no es lo mismo que si pensamos que si no sale bien quizás es que aquella no es la persona adecuada para nosotros y que podemos encontrar a alguien más adelante.

- **Aceptación**: Aceptar la situación tal como ocurre. A veces no podemos cambiar los hechos, pero debemos aceptarlos para poder convivir con ellos de forma adecuada.

- **Interrupción y sustitución del pensamiento**: cuando aparece un pensamiento que sabemos que nos conduce a sufrir emociones desagradables, se interrumpe dicho pensamiento diciéndonos a nosotros mismos la palabra "Basta" o "Stop". Entonces se trata de pasar a pensamientos positivos previamente preparados que sean más realistas, asertivos y constructivos. Adquiriendo estas habilidades se capacita a una persona para enfrentarse con éxito a los pensamientos que antes conducían a altos niveles de ansiedad, depresión o cólera.

- **Descarga emocional**: Mucha gente lo reconoce, poder dar rienda suelta a las emociones, hablando con alguien abiertamente, escribiendo sobre lo que nos preocupa o incluso llorando, ayuda a "descargar" la tensión para no acumularla de forma excesiva en nuestro organismo. Nos sirve como catalizador de las emociones.

- **Desarrollo de recompensas alternativas**: Para compensar una frustración o una pérdida, la persona puede recurrir a buscar metas sustitutas, creando fuentes alternativas de satisfacción, como hacer una actividad lúdica, salir a caminar al aire libre o "premiarse" con algún capricho (eso sí, dentro de nuestras posibilidades y sin que esto se transforme en una compulsión a comprar sin sentido).

- **Sentido del humor**: Saber tomarse con humor las dificultades les quita dramatismo, ayuda a reducirlas y colocarlas en un lugar de inferioridad respecto a nosotros, restándoles importancia.

- **Relajación, visualización y respiración:** La idea es conseguir relajarse. Existen múltiples técnicas al respecto, pero se basan principalmente en dos premisas; respirar e imaginar situaciones agradables. Dado que la respiración es esencial para la vida, todos nacemos con la capacidad de respirar de manera adecuada, pero con el paso de tiempo, el hábito de la respiración completa y natural (como lo hace un recién nacido), se va perdiendo. La técnica de respiración consiste en lograr una respiración profunda, llevando el aire por nuestra nariz, expulsándola de manera más lenta por la boca. Esta acción llevada a cabo en momentos de tensión y realizada durante unos minutos, nos ayudará a frenar los síntomas desagradables del estrés. Por otro lado, que se utilice la imaginación para recrear en la mente situaciones que sean relajantes, tranquilas, o en las que nos sintamos cómodos, también nos proporcionará una disminución de la tensión. Puede tratarse de una escena en un lugar tranquilo como la playa, el campo o un bosque. La utilidad de esta técnica reside en que, ciertas áreas del cerebro interpretan los signos del ambiente en que se encuentra, provocando que el cuerpo responda al mismo. Si nos imaginamos una escena violenta, el organismo responderá alarmado, y se relajará ante una imagen cálida y acogedora.

- **Entrenamiento en solución de problemas y toma de decisiones:** Podemos definir problema como "el fracaso para encontrar una respuesta eficaz". La solución de problemas es útil para reducir la ansiedad asociada a la incapacidad para tomar decisiones. Este tipo de entrenamiento es mejor que sea orientado por un profesional, y se basa en identificar las situaciones problemáticas, hacer una descripción detallada tanto del problema como de la respuesta habitual que ofrecemos al mismo, realizar una lista con alternativas posibles, visualizar las consecuencias y evaluar los resultados.

Para lograr el éxito en esta lucha contra el estrés, también es necesario conocer aquello a lo que nos enfrentamos, las exigencias que se derivan y las posibles consecuencias. Es importante valorar las propias aptitudes a la hora de seleccionar nuestro modo de vida y nuestras actividades. Conviene prepararse para cada situación esperando de ella lo que va a traer consigo, ni más ni menos. No exigirnos demasiado ni plantarnos objetivos inalcanzables, ya que nos ayudará a no obtener frustraciones innecesarias en nuestra vida diaria.

LA INTELIGENCIA EMOCIONAL EN EL TRABAJO

*El ingrediente más importante en la fórmula del éxito
es saber cómo entenderse con la gente.*

Theodore Roosevelt

Son ya muchas las empresas que están invirtiendo gran cantidad de dinero en formar a sus trabajadores en Inteligencia Emocional. Esto es así porque se han dado cuenta de que la clave del éxito está en el grado en el que los trabajadores de una empresa conozcan y controlen sus emociones y además sepan reconocer los sentimientos de sus clientes.

En la actualidad podemos hablar de dos habilidades que se han vuelto fundamentales dentro de las organizaciones: la *capacidad de trabajo en equipo* y *la capacidad de adaptarse a cambios* (esta es una habilidad de suma importancia debido a los grandes cambios que estamos sufriendo, ya sea por la incorporación de nuevas tecnologías o por la nueva manera de entender el mundo). Ambas habilidades brillarán por sí mismas en los trabajadores que tengan mayor éxito profesional.

Por otra parte, para poder hacer frente a las situaciones emocionales abrumadoras dentro de lo que es el clima organizacional, hay que ser capaz de despertar la confianza de los demás, saber escuchar, ser capaz de persuadir y saber dar consejos. O lo que es lo mismo, saber establecer adecuadas relaciones con los compañeros. Según en palabras del propio Goleman: *"para poder alentar la confianza de los demás usted debe ser consciente de sí mismo, asumir el punto de vista de los demás y ser también capaz de estar plenamente presente"*.

Podemos agrupar las competencias emocionales más importantes para el éxito en el trabajo en tres grupos:

- Iniciativa y motivación hacia el logro.

- Influencia y capacidad para liderar equipos.

- Empatía y confianza en uno mismo.

Se ha visto que los trabajadores con éxito efectúan elecciones que les permiten trabajar dejando intacta o fortalecida su autoestima, tienen en cuenta el tipo de proyecto que más les interesa, el tipo de personas con quienes puede resultar más estimulante trabajar y qué contribución personal pueden hacer para mantener la eficacia.

Si nos imaginamos, por ejemplo, a un vendedor que no tiene habilidades de trato con el público, un empresario sin motivación por su empresa o un negociador sin autocontrol, veremos que a estas personas el hecho de tener un Máster en Harvard no les servirá de nada, porque tardarán poco el echar a perder su trabajo por una mala gestión de sus emociones.

Dentro de las grandes empresas se tiende cada vez más en las selecciones de personal a poner al candidato en situaciones incómodas o estresantes para ver su reacción. Los tiempos del simple test y currículum pasaron a la historia, puesto que es necesario ver cómo reacciona el individuo ante las situaciones clave que se encontrará en su trabajo.

Con todo lo que tenemos hasta ahora podemos decir que lo que se busca dentro de una empresa es que sus trabajadores posean:

- Comunicación verbal y capacidad de escuchar.

- Adaptabilidad y capacidad de aportar respuestas creativas ante los contratiempos y los obstáculos.

- Capacidad de autocontrol, confianza, motivación para trabajar en la consecución de determinados objetivos, sensación de querer abrir un camino y sentirse orgulloso de los logros conseguidos.

- Eficacia grupal e interpersonal, cooperación, capacidad de trabajar en equipo y habilidad para negociar las disputas.

- Eficacia dentro de la organización, predisposición a participar activamente y potencial de liderazgo.

¿CÓMO INFLUYEN LAS EMOCIONES EN EL TRABAJO?

Si nos fijamos un poco, podremos ver como muchas veces las personas que obtienen un mayor éxito en el trabajo no siempre son las más capacitadas, con más titulaciones académicas, o incluso las más eficientes. Todo eso son parámetros importantes, pero no suficientes: el verdadero éxito requiere algo más: habilidad para tratar de forma adecuada con las personas convenientes.

Todos sabemos ya que la Inteligencia Emocional es la capacidad de percatarse de los propios sentimientos, así como de los de los demás y gestionarlos de forma beneficiosa. Quien posee una óptima Inteligencia Emocional, reconoce rápidamente sus sentimientos y esto le permite expresarlos de forma adecuada: Es más difícil perder los nervios cuando uno comprende sus propios sentimientos.

Por otro lado, el comprender los sentimientos de quienes nos rodean, nos permite tenerles en cuenta como personas y reconocerles. Esta capacidad es clave para lograr que nuestros colaboradores, compañeros y superiores se sientan satisfechos o predispuestos a esforzarse.

Por suerte y como casi todo en esta vida, esta capacidad de sintonizar y manejar adecuadamente los sentimientos propios y ajenos es algo que se puede aprender y mejorar.

Para ello, es preciso hacer el esfuerzo personal de enfrentarse a uno mismo. Debemos observarnos de la forma en que lo hacen los demás, como si nos miráramos "desde fuera". Igual que para aprender a nadar es indispensable tirarse al agua, también en el terreno afectivo es necesario practicar, ya que solamente se logran cambios efectivos cuando nos implicamos en la tarea, no basta con leer la teoría.

¿QUÉ ES LA EFICIENCIA?

Las exigencias de la vida moderna, la necesidad de estar siempre al día en un mundo laboral que evoluciona tan vertiginosamente, la hipercompetencia en el trabajo, la necesidad de un constante perfeccionamiento profesional, etc., son situaciones que tienden a alterar el estado emocional de la mayoría de las personas consideradas normales, llevándolas al borde de sus propios límites físicos y psíquicos. El resultado, a menudo, es el desequilibrio emocional.

Este desequilibrio no sólo afecta al trabajo y el desarrollo profesional, sino también a la vida íntima de una persona, porque las emociones desempeñan un papel importante en todos los aspectos de la vida. La clave está en utilizar las emociones de forma inteligente, para que trabajen en beneficio propio, de modo que nos ayuden a controlar nuestra conducta y nuestros pensamientos en pos de mejores resultados.

Además, todos nosotros influimos en el estado de ánimo de los demás. Es perfectamente natural influir en el estado emocional de otra persona, para bien o para mal; lo hacemos constantemente, "contagiándonos" las emociones como si fueran el más poderoso virus social.

Por eso existe hoy una tendencia mundial al alza en la demanda de recursos humanos (especialmente ejecutivos), pues se valora mucho la capacidad de interrelación emocional, incluso por encima de la capacitación puramente técnica.

Tanto el trabajo como el aprendizaje son sociales. Las organizaciones de alguna manera son "redes de participación". Por este motivo, para lograr un desempeño efectivo en los trabajadores, la clave está en inyectar entusiasmo y compromiso, dos cualidades que las organizaciones o empresas pueden crear, pero no imponer.

Hoy en día para desarrollar una empresa y que ésta sea competitiva, se requiere un control emocional adecuado, que nos permita tener una interacción armónica en nuestro ambiente laboral: socios, colegas, empleados, proveedores, clientes, etc.

Pero tampoco nos engañemos, la Inteligencia Emocional no hace milagros, por eso no garantiza que una empresa tenga más número de clientes o un rendimiento más alto. La trayectoria de toda corporación es extraordinariamente fluida y compleja. Ninguna intervención, ningún cambio por sí solo arreglará todos los problemas. Pero si se ignora el ingrediente humano, nada de lo demás funcionará correctamente. Las empresas cuya gente colabora mejor, tienen ventaja competitiva.

CÓMO LA INTELIGENCIA EMOCIONAL PUEDE AYUDAR EN NUESTRAS RESPONSABILIDADES

Para descubrir si la Inteligencia Emocional está vinculada a nuestras responsabilidades, conviene reflexionar sobre las siguientes preguntas:

1. ¿Es posible tener una adecuada responsabilidad sin control emocional?

2. ¿Qué relación hay entre la responsabilidad y el fracaso?

3. ¿Cómo influye el fracaso en nuestro control emocional?

Desde el punto de vista de la Inteligencia Emocional, la responsabilidad se prueba en los fracasos, abarcando sus distintos aspectos:

- **Autoconciencia**: Superando la culpa y el miedo a otro fracaso, para seguir adelante.

- **Control Emocional**: evitando reacciones exageradas que perjudican la moral de grupo.

- **Motivación y Persistencia**: recordando que el éxito es la suma de pequeños esfuerzos, que se repiten día tras día.

- **Empatía**: sabiendo escuchar, valorar y comprender, formas adecuadas para mantener la armonía en las relaciones.

- **Liderazgo**: Reconociendo con ecuanimidad y paciencia, que los fracasos son una fuente de aprendizaje. Como expresó el filósofo Friedrich Nietzsche: *"No hay fracasos, sólo hay lecciones"*.

O lo que es lo mismo:

FRACASO = APRENDIZAJE = TRABAJO = ÉXITO

INTELIGENCIA EMOCIONAL Y LIDERAZGO

Liderazgo se puede definir como el conjunto de habilidades que un individuo tiene para influir en las personas y que éstas contribuyan de forma voluntaria y entusiasta al cumplimiento de metas grupales. El líder es la persona que tiene como misión motivar, guiar, inspirar, escuchar y persuadir al resto de los miembros de un grupo para llegar a la meta deseada. También se entiende como la capacidad de tomar la iniciativa, gestionar, convocar, promover, incentivar y evaluar a un grupo o equipo. Los líderes, generalmente, son personas movilizadoras que además saben manejar muy bien sus emociones.

Un líder por sí solo no es líder, necesita tener seguidores. El buen líder ofrece seguridad a los demás, lo que deja de manifiesto su experiencia y capacidad técnica. También infunde valores de honestidad, simpatía y magnetismo para que sus seguidores le sean leales. Un líder es más eficaz si logra que sus subordinados cumplan tanto con las metas establecidas por la empresa como con sus aspiraciones personales.

Según una investigación realizada hace unos años con altos ejecutivos, se comprobó que las diferencias entre los directivos que fracasan y los que llegan al éxito estriban en las siguientes características:

- **Autocontrol**: se ha comprobado que los jefes que fracasan soportan mal la presión y suelen tener mal humor y ataques de cólera. Por otro lado, el directivo con éxito no pierde el equilibrio durante las situaciones tensas, sino que aun en medio de estas situaciones mantienen su serenidad.

- **Responsabilidad**: los fracasados reaccionan de una forma muy negativa ante los errores y las críticas, negándolas, encubriéndolas o intentado descargar su responsabilidad sobre otras personas. Es decir, este tipo de personas se "lavan las manos" ante sus propios errores, prefiriendo culpar a otros con tal de no delatarse a sí mismos.

- **Fidelidad**: los errores cometidos por los que fracasan están ligados al exceso de ambición, al deseo de seguir adelante a expensas de los demás. Los directivos que triunfan muestran un profundo interés por las necesidades de sus subordinados.

- **Habilidades sociales**: los que fracasan muestran un exceso de arrogancia, agresividad o prepotencia, al contrario de los exitosos, cuyas habilidades irán desde la sencillez hasta a asertividad e igualdad.

- **Establecimiento de vínculos y aprovechamiento de la diversidad**: los directivos que fracasan son incapaces de crear una red de cooperación y relaciones provechosas. Los directivos con éxito ven una oportunidad potencial en toda diversidad personal.

A continuación vamos a pasar a enumerar diez condiciones para fracasar seguro en el liderazgo:

1. **No estar dispuestos a prestar pequeños servicios:** Los líderes realmente competentes están siempre dispuestos, cuando la ocasión lo exige, a llevar a cabo cualquier tipo de labor que se les pida que hagan. Que *"el mejor de entre vosotros será el sirviente de todos"* es una verdad que todos los líderes capaces observan y respetan.

2. **No saber organizar detalles**: Un liderazgo eficiente requiere capacidad para organizar y controlar incluso los detalles. Ningún buen líder está jamás "demasiado ocupado" para satisfacer una demanda que le corresponda asumir como líder. Cuando una persona, ya sea en calidad de líder o de asistente, admite que está "demasiado ocupado" para cambiar de planes, o para prestar atención a una emergencia, está admitiendo su incompetencia. El líder de éxito debe ser quien controle todos los detalles relacionados con su posición. Esto significa, por supuesto, que ha de adquirir el hábito de delegar los detalles a asistentes capaces.

3. **Esperar gratificaciones por lo que se sabe y no por lo que se hace:** El mundo no paga a los hombres por lo que "saben". Les pagan por lo que hacen con aquello que saben y lo que impulsan a hacer a otros.

4. **Falta de imaginación**: Sin imaginación, el líder es incapaz de superar las emergencias, y de crear planes que le permitan guiar con eficacia a sus seguidores.

5. **Temer la competencia de otro:** El líder que teme que uno de sus seguidores pueda ocupar su pues-

to está prácticamente condenado a ver cumplidos sus temores tarde o temprano. El líder capaz entrena a un suplente en quien pueda delegar, a voluntad, cualquiera de los detalles de su posición. Sólo de ese modo un líder puede multiplicarse y prepararse para estar en muchos lugares y prestar atención a muchas cosas al mismo tiempo. Es una verdad eterna que los hombres ganan más por su habilidad para hacer que los demás trabajen, que lo que ganarían por su propio esfuerzo. Un líder eficiente puede, a través del conocimiento de su trabajo y del magnetismo de su personalidad, aumentar en gran medida la eficacia de los demás, e inducirlos a rendir más y mejores servicios que los que rendirían sin su ayuda.

6. **Deslealtad**: Quizá esta causa debería encabezar la lista. El líder que no sea leal con su organización y con su equipo, con quienes está por encima de él y con quienes están por debajo, no podrá mantener mucho tiempo su liderazgo. La falta de lealtad es una de las principales causas de fracaso en todos los terrenos de la vida.

7. **Presunción**: El líder que se vanagloria de todo el trabajo delante de sus seguidores está condenado a generar resentimientos. El verdadero líder no exige honor alguno. Le alegra ver que los honores, cuando los hay, son para sus seguidores, porque sabe que la mayoría de los hombres trabajarán con más entusiasmo por recomendaciones y reconocimientos, que sólo por dinero.

8. **Falta de moderación:** Los seguidores no respetan a los líderes poco templados o moderados. Además, esta actitud destruye la capacidad de resistencia y la vitalidad de cualquiera que se deje llevar por ella.

9. **Dirigir con excesiva autoridad:** El líder eficiente enseña mediante el estímulo y no intenta atemorizar a sus seguidores. El líder que trata de impresionar a sus seguidores principalmente con su autoridad, entra en la categoría del liderazgo por la fuerza. Si un líder lo es de verdad, no necesitará anunciarlo, a no ser mediante su conducta, es decir, con su simpatía, comprensión y sentido de la justicia, y demostrando, además, que conoce su trabajo.

10. **Presumir de título**. El líder competente no necesita "títulos" para obtener el respeto de sus seguidores. La persona que insiste demasiado en su título, generalmente no tiene mucho más en qué apoyarse. Las puertas de la oficina de un verdadero líder permanecen abiertas para todos aquellos que deseen entrar, y su lugar de trabajo está tan libre de formalidad como de ostentación.

De manera que, evitando caer en estas diez condiciones y trabajando adecuadamente nuestro control emocional, podremos llegar a ser unos buenos líderes, claro está, si lo deseamos…

LA INTELIGENCIA EMOCIONAL EN LA SALUD

*Más vida puede escurrirse a través del pensamiento
de un hombre que a través de una herida abierta.*

Thomas Hardy

Desde los antiguos pensadores griegos y hasta la actualidad, y tras los innumerables estudios realizados los últimos años, se conoce la influencia que tienen las emociones en la salud humana. No en vano perdura el dicho "mens sana in corpore sano". En múltiples ocasiones podemos observar cómo las emociones positivas previenen enfermedades, o una vez que éstas han aparecido, pueden contribuir a su curación, y en cambio las emociones negativas ayudan a bajar las defensas de nuestro organismo y contraer enfermedades.

Cuando disponemos de una actitud mental correcta, tenemos menos probabilidad de padecer un ataque cardíaco, vencemos antes una infección o superamos un cáncer. La salud mental es la medicina más poderosa que tenemos y la más olvidada de todas las terapias del siglo XXI.

Algunas actitudes emocionales como el miedo, la ansiedad, la ira o el resentimiento, producen un efecto dañino en el cuerpo. Otras promueven la felicidad, el bienestar y aumentan la resistencia a la enfermedad. Incluso en presencia de una enfermedad declarada, los datos clínicos a nivel mundial confirman los beneficios médicos de los sentimientos positivos y el poder curativo del apoyo emocional proporcionado por las personas que rodean a un paciente, desde los familiares más íntimos hasta los profesionales que trabajan en el área de la salud y tienen contacto con él.

APLICANDO LA INTELIGENCIA EMOCIONAL EN MEDICINA

Todos tenemos un potencial de fortaleza interior que muchas veces está por descubrir. Por fortuna cada vez son más las personas que creen en él y que aprenden a utilizarlo para mejorar su salud, y esto es gracias a los avances conseguidos en los estudios en este campo y también a que hoy en día la información llega más fácilmente a todos. Esto nos puede ayudar en el camino del autoconocimiento y también de la mejora de nuestro control emocional. Por su lado, la medicina cada vez más amplia su visión y tiene en cuenta el impacto que las emociones ejercen en las personas, aunque no siempre es así. Para eso deben tenerse en cuenta dos grandes supuestos de los descubrimientos científicos:

- **Mejorar el control de las emociones**: Es importante ayudar a la gente a manejar mejor sentimientos perturbadores como la ira, la amargura, la ansiedad, el pesimismo o la soledad. Es una forma de prevención de la enfermedad. Teniendo en cuenta que los datos muestran que la toxicidad de estas emociones, cuando son crónicas, se encuentra al mismo nivel que el hábito de fumar, ayudar a la gente a enfrentarse mejor a ellas podría representar para la salud una recompensa tan grande como lograr que los fumadores abandonaran el hábito.

- **Atender las necesidades psicológicas**: Muchas personas mejoran notablemente su salud cuando sus necesidades psicológicas son atendidas al mismo tiempo que las puramente médicas. Si bien el hecho de que un médico o una enfermera ofrezcan consuelo y alivio a un paciente ya es un paso importante, a veces no es suficiente. Así pues, la oportunidad de brindar un cuidado emocional se pierde a menudo debido a la forma en que se practica la medicina en la actualidad, con una base tan técnica. Por desgracia, a pesar de los datos cada vez más numerosos sobre la utilidad médica de atender las necesidades emocionales, muchos facultativos se muestran aún escépticos con respecto a que las emociones de sus pacientes tengan importancia clínica y desechan las pruebas en este sentido como anecdóticas, o peor aún, como simples las exageraciones.

Finalmente, está el valor de un médico o una enfermera empáticos, que tienen sintonía con los pacientes, capaces de escuchar y de ser escuchados. Esto supone fomentar el "cuidado basado en la relación", reconociendo que la relación entre el médico y paciente es en sí misma un factor significativo. Tales relaciones deberían ser fomentadas más rápidamente si la educación médica incluyera algunas herramientas básicas para la inteligencia emocional, sobre todo la consciencia de uno mismo y las artes de la empatía y del saber escuchar.

DETERMINACIÓN EN LUGAR DE INDEFENSIÓN

La palabra paciente deriva del latín *patient* que significa "el que soporta, el que padece". Precisamente este papel pasivo no es el que el paciente debería adoptar desde el punto de vista de la medicina que se orienta de forma global. Más bien debemos apelar a la propia responsabilidad: el paciente como cómplice del médico en la lucha contra la enfermedad.

Por lo general, el éxito del tratamiento depende en gran parte del grado de implicación activa del propio paciente. Ya la mera ingestión regular de los medicamentos prescritos requiere la cooperación del mismo. El médico sólo puede escribir la receta y establecer la dosificación, pero está en manos del paciente el hacer uso o no de esa receta y después tomar los medicamentos en la dosis y durante todo el tiempo prescritos para el tratamiento, así como de hacerse las pruebas prescritas por él, o someterse a algún tipo de restricción alimenticia o física. Además, en bastantes ocasiones, las intervenciones quirúrgicas y los medicamentos no bastan para recuperar la salud de forma duradera. Muchas veces será necesario que el paciente cambie sus hábitos como dejar de fumar, renunciar al alcohol o hacer más ejercicio.

La enfermedad y el tratamiento médico suponen, en cualquier caso, una carga emocional así como una fuente de estrés. Se ha podido demostrar que este estrés se vive de forma mucho más intensa cuanto menores son las posibilidades de influir sobre los factores desencadenantes de ese estrés. En un experimento realizado con animales, éstos fueron sometidos a un ligero electroshock, que no producía ningún dolor pero sí cierta irritación. Algunos de los animales tenían la posibilidad de desconectar el estímulo eléctrico, los otros no. Independientemente de si utilizaban esta posibilidad o no, los animales que podían "decidir" se encontraban mejor que el grupo de comparación.

Las cargas son, por tanto, mucho más fáciles de llevar si se viven como algo controlable. Esto mismo, trasladado a los pacientes, significa que aquel que se limita a "soportar" de forma pasiva tiene un estrés mayor que el paciente que participa de forma activa y autodeterminada en el proceso de curación. Experiencias con enfermos de cáncer en estadio terminal han demostrado que los que se administran ellos mismos las inyecciones de morfina necesitan menos cantidad que aquellos a quienes se la administra el médico o la enfermera. Al parecer, la posibilidad de poder controlar en cada momento el dolor por decisión propia actúa de forma beneficiosa sobre la sensibilidad frente al dolor. De todas formas, no todas las personas quieren o pueden asumir su propia responsabilidad en un proceso de salud en la misma medida. Forma parte de la habilidad del médico hacerse una idea de lo que desea o no el paciente. Este resultado se consigue mejor cuanto mayor es la atención que el médico presta a su paciente como persona, escuchándolo e intentando hacerse una idea de su psique. Frente a alguien que en todos los demás ámbitos de la vida está acostumbrado a tomar decisiones y asumir responsabilidades, el médico deberá adoptar más bien el papel de un asesor especializado y competente para así ganarse su confianza.

Para otras personas, sin embargo, la idea de asumir la responsabilidad en temas de salud les resulta agobiante. Se sienten mejor cuando pueden confiar en una autoridad médica firme. En algunos casos, las diferentes alternativas o propuestas les puede dar sensación de inseguridad, llegando a pensar que el médico no tiene claro el camino a seguir. A la preocupación original debida a los problemas de salud se añade entonces el miedo de tener que tomar la mejor decisión sobre el problema. Se requiere una buena capacidad de percepción por parte del médico, para saber encontrar la "dosis" correcta de responsabilidad que puede asumir un paciente.

Lo cierto es que el tener actitudes emocionalmente inteligentes tendrá efectos muy beneficiosos en la salud general, puesto que actúan retroalimentándose. En esto se diferencian de los preceptos de la salud puramente física, que ofrecen un efecto mucho más definido. Comer mucha fibra, por ejemplo, mejora la función intestinal, pero en nada ayuda a mejorar las relaciones interpersonales. Igualmente, correr aumenta la eficiencia del corazón y los pulmones, pero poco ayuda a aumentar la felicidad. En cambio, seguir las actitudes mentales saludables no sólo aportará salud, sino también amistad, alegría y paz interior.

LA INTELIGENCIA EMOCIONAL Y LA PAREJA

Si quieres conocer a una persona, no le preguntes lo que piensa sino lo que ama.

San Agustín

La Inteligencia Emocional juega un papel fundamental en el mantenimiento de la pareja.

Como ya hemos visto, toda emoción tiene en su raíz un impulso hacia la acción, y manejar eficazmente estos impulsos resulta básico para la Inteligencia Emocional. Paradójicamente, esto puede resultar especialmente difícil en una relación amorosa, donde hay tantas cosas en juego. Las reacciones que intervienen aquí alcanzan algunas de nuestras necesidades más profundas como el hecho de ser amados o sentirnos respetados. El temor al abandono o a quedar privados emocionalmente queda patente en esta faceta de nuestras vidas. No es de extrañar que durante una pelea conyugal actuemos como si estuviera en juego nuestra supervivencia misma.

Cerca de un 50% de matrimonios terminan en divorcios cuando los cónyuges descubren con tristeza que no se han casado con la persona que creían. Dentro del primer año de matrimonio salen a relucir las incompatibilidades y los problemas individuales de Inteligencia Emocional, y muchas parejas no conocen la manera de abordar esos problemas.

Uno de los más famosos investigadores sobre este tema es John M. Gottman, profesor de Psicología en la Universidad de Washington y codirector de The Gottman Institute. Su trabajo sobre la pareja ha merecido elogios por su rigor científico al observar los hábitos de innumerables parejas a lo largo de más de 25 años.

El psicólogo asegura que existen señales muy claras que permiten predecir el divorcio de una pareja. En su *love lab* (laboratorio del amor) pide a las parejas que estudia que busquen un tema de discusión habitual y se dedica a observarlas. El objetivo es identificar conductas específicas que puedan llevar a la ruptura. En el laboratorio se observan las interacciones en la pareja por vídeo y mediante monitores cardíacos y otros aparatos que miden el estrés durante la conversación.

Con el estudio, análisis y seguimiento de estos datos sobre cientos de parejas, el equipo llegó a identificar lo que consideran que son seis señales de peligro para la pareja:

1. **Un planteamiento violento:** La primera de estas señales que predicen el divorcio es la forma en que comienza una discusión, porque el 96% de las veces la forma en que empieza puede predecir la forma en que va a terminar. Cuando una pareja comienza la discusión de manera negativa, realizando acusaciones o perdiendo el respeto al otro, la discusión está básicamente destinada al fracaso. El problema no es discutir, sino la manera como discute. La utilización del sarcasmo, la crítica y la acusación significa que los dos integrantes no se centran en negociar, sino que se están acusando mutuamente. Con eso, uno da por sentado que el otro es el problema. La negatividad se nota en el tono de menosprecio, aunque las palabras sean

dichas en tono suave. La investigación demostró que si la discusión empieza con un "planteamiento violento", el final es previsiblemente negativo, aunque se intente suavizar el tono durante la discusión. Se puede predecir el resultado de una conversación de un cuarto de hora basándose en los primeros tres minutos, según el trabajo de Gottman. Si se inicia una discusión así, es incluso mejor dejarla y hablar en otro momento. Por otra parte, cuando una pareja comienza la discusión de una forma más "suave", lo más probable es finalizará el mismo tono positivo.

2. **Los cuatro jinetes del Apocalipsis**: Tras el arranque duro, pueden ir apareciendo otras actitudes negativas que el psicólogo estadounidense John M. Gottman denomina *"los cuatro jinetes de la Apocalipsis"*. Suelen aparecen en este orden: crítica, menosprecio, actitud defensiva y desdén.

   • **Crítica**. Toda persona tiene algo que decir a su pareja que le disgusta, pero es bueno distinguir la queja de la crítica. Una queja se refiere a una conducta (o ausencia de conducta), y una crítica se refiere a la totalidad: una cosa es decir "no me ayudas mucho con los niños" y otra "eres un mal padre". Las críticas suelen empezar con "tú siempre…" o "tú nunca…".

   • **Menosprecio**. El menosprecio es la crítica con hostilidad añadida; se manifiesta mediante el cinismo y el sarcasmo. Las expresiones habituales son insultos, mirada de aburrimiento, burla y hostilidad. El menosprecio es la más venenosa de las actitudes porque nunca conduce a la resolución del conflicto. Se va gestando a partir de conflictos sin resolver que quedan en la memoria.

   • **Actitud defensiva**. Al sentirse atacado, el otro se rebota diciendo que la culpa no es suya.

Contrataca para defender su inocencia o evitar responsabilizarse del problema. Sólo sirve para seguir escalando en la disputa.

- **Desdén** o "Táctica del cerrojo". Durante la discusión, uno de los dos no da muestras de estar oyendo, no hace caso, no mira y se niega a responder... Suele ocurrir ya al final de las relaciones después de mucho contacto destructivo.

3. **Desbordamiento**: Aunque parezca que uno de los dos no reacciona y actúa de un modo aparentemente relajado, la verdad es que se está conteniendo para no explotar. Por eso se refugia en la protección del desdén e intenta ignorar a la pareja. Se esfuerza por desvincularse emocionalmente. El encierro en sí mismo es su única manera de afrontar la hostilidad.

4. **La expresión corporal:** Los psicólogos se han dado cuenta que no tienen necesidad de oír el diálogo de las parejas ya que sólo con ver en los monitores la reacción corporal es suficiente para ver si pelean. Los latidos del corazón suben a más de 100 por minuto, ocurren cambios hormonales como secreción de adrenalina y la reacción general del cuerpo es la misma que cuando se prepara para la lucha o la huida: sudoración, respiración agitada y corta y demás signos de ansiedad. En esa situación, el procesamiento de la información es deficitario, así como la capacidad de atención. Cuando se sienten estas reacciones corporales, se puede dar por seguro que esa discusión sólo va a empeorar las cosas.

5. **Intentos fallidos de reparación:** Los intentos de reparación son los esfuerzos por parar la escalada de tensión durante las discusiones. Expresiones como "vamos a calmarnos" pueden salvar a las parejas porque reducen el estrés y la agitación. Estas pos-

turas impiden que "los cuatro jinetes de la Apocalipsis" se desaten y dirijan la relación. Las parejas que acaban mal son aquellas en que entre críticas, menosprecios y actitudes defensivas se unen a los intentos de reparación fallidos formando una espiral hostil. Por eso la pareja ya ni reacciona a los esfuerzos de conciliación. Esta negación a oír las explicaciones del otro predice el final de las relaciones al 90%, según Gottman. Lo que marca la diferencia entre quienes responden a los intentos del otro y los que no es la calidad de la amistad en la pareja.

6. **Malos recuerdos**: La última señal del mal estado de una relación sería la manera como la pareja cuenta su pasado en común. Cuando se les pregunta sobre algo de su pasado y eligen momentos negativos o tienden a negativizar los buenos, es un comportamiento común de parejas mal avenidas.

En definitiva, fortalecer la relación de amistad es con diferencia el punto más importante en una pareja feliz.

EL ENAMORAMIENTO Y EL AMOR

El enamoramiento es un sentimiento que nace espontáneamente y con gran intensidad, es esa "extraña sensación" como la llaman algunos, que se mantiene durante un tiempo y luego disminuye. En unos casos desaparece y en otros se transforma en amor.

Para que dos personas se enamoren deben darse ciertas circunstancias como la atracción física, que se complementen intelectualmente, cierto grado de intimidad emocional, acercamiento y deseo de estar juntos, entre otras. Sin embargo, se dan casos en que no necesariamente se cumplen estas condiciones y las personas de todas maneras se enamoran.

El enamoramiento es una experiencia afectiva muy intensa que lleva a las personas a involucrarse de una forma muy profunda. Generalmente este sentimiento se observa durante la etapa de la adolescencia y la juventud, pero algunas personas repiten este mismo patrón de conducta durante a lo largo de su vida, en el que todos los pensamientos e ideas que se tienen del otro son positivos, idealizados y a veces casi irracionales.

De manera general y en su primera fase, el enamoramiento se manifiesta como una atracción que reúne una serie de características en las cuales intervienen cambios químicos que provocan las típicas "mariposas en el estómago". Es en este momento, cuando cada uno comienza a hacerse una idea aproximada de la persona que al otro le debe gustar y comienza a "venderse" (no siempre como es), tratando de parecerse a ese ideal.

Además, en esta fase, ambos miembros de la pareja se muestran tremendamente tolerantes con el otro, para de esta manera poder mantener la intensidad del enamoramiento. A cualquier inconveniente, por muy grave que este sea, no se le da importancia pues lo que importa es el deseo de estar enamorado y querer al otro. Se experimenta una especie de sentido de protección, basado en la profunda convicción de "creer saber" qué es lo mejor para el otro.

Quienes se encuentran en el período del enamoramiento tienen ideales que casi siempre son imposibles de lograr, porque comienzan a imaginarse una serie de situaciones con su pareja que no suelen ser reales, como por ejemplo, "siempre seremos el uno para el otro", "él/ella cambiará gracias a mi amor", "los dos somos como uno solo" y así una gran cantidad de pensamientos pasan por la mente de cada uno y que luego, al enfrentarse a la realidad, raramente se puede llevar a cabo.

Estos pensamientos, si bien llevan consigo la necesidad de tener una relación romántica perfecta, lo único que muestra es que existen aspectos de la personalidad del otro que no nos satisfacen, pero que no expresamos o discutimos para no romper el "encantamiento". En este tipo de actuación, está latente el deseo interior de que con el tiempo y el amor se modifiquen las conductas de nuestra pareja que en la actualidad no nos gustan.

Así pues, el enamoramiento favorece y facilita la formación de la pareja, aunque a la larga no sea todo tan "perfecto". Tanto los hombres como las mujeres sienten impulsos que emiten señales inconscientes (gestos, miradas, sonrisas, etc.) que provocan reacciones instantáneas en ambos. Es lo que se define como química del amor.

LA IMPORTANCIA DEL NOVIAZGO

Una vez que las personas deciden formar pareja con intención duradera, inician lo que llamamos la "etapa del noviazgo", que no es más que una prueba en la que miden cuán compatibles o no son y cuáles son las diferencias o las semejanzas que unen a ambas personas, entre otras cosas. Inclusive se miden hasta los grados de complementariedad de las familias de ambos, por aquello de que al casarse o juntarse con su pareja, lo hacen también con su familia.

En este período, los novios manifiestan intereses comunes y se hacen expectativas para el futuro y aun cuando no se establece cuál es el tiempo adecuado para mantener un noviazgo, se ha determinado que los matrimonios cuya pareja tuvo un tiempo de noviazgo corto, tienden más al fracaso. No así los matrimonios en los que la pareja tuvo más tiempo para conocerse en la etapa de novios. Sin embargo, lo importante en esta etapa, no es solamente querer a la persona sino mantener con ella un elevado nivel de comunicación que nos permita saber quién es ella y si se adecua a lo que nosotros queremos y necesitamos como pareja.

Elegir a una persona y hacer una vida en común es una de las decisiones más trascendentes en la vida de todos. Es por ello que, si bien nos enamoramos y queremos a nuestra pareja, también debemos racionalizar si se ajusta a lo que nosotros deseamos y nos hemos planteado acerca de cómo debe ser la persona que nos acompañe en la ardua tarea de consolidar una familia.

LOS AMANTES

Este es un tema del que las personas poco hablan, o que dicho de otra manera, prefieren no hablar, ya que por lo general, la relación de amantes es poco aceptada socialmente, pues la misma trae consigo el entorpecimiento de las buenas relaciones entre una pareja, la ruptura de ésta y en el peor de los casos, la disolución de una familia. Sin embargo, es preferible no hacer juicios de valor acerca de por qué una persona decide tener un amante o ser amante de alguien.

En un principio, las personas muestran un intenso entusiasmo por aquel o aquella que después será su amante. Es preciso resaltar que pocas veces este entusiasmo es amor. En numerosas ocasiones es básicamente enamoramiento, pues idealizamos y exaltamos en el o la amante cualidades que creemos no tiene o perdió nuestra pareja. Generalmente, en el plano personal, emocional y sentimental, se pierde más de lo que se gana en una relación de este tipo. Por ejemplo, compartir espacios con el amante es muy limitado por lo que llegar a tener una relación comprometida es difícil. A algunos les da resultados, pero después de haber pagado un alto precio. Compartir momentos importantes por este motivo es difícil, lo que va cargando de frustración a quienes se involucran en esta relación.

Viven una vida complicada tratando de cumplir con todo el mundo: la pareja, los hijos, el amante... Restando tiempo productivo al trabajo para poder estar con la persona que consideran es el refugio y apoyo para todos sus problemas.

En el plano familiar, generan un ambiente adverso debido a que maximizan los defectos de su pareja y minimizan sus virtudes, recriminándoles siempre por cualquier tontería y creando así un clima de incomunicación.

Las causas que llevan a una persona a la búsqueda de una relación paralela pueden ser muchas. Pero la principal es la incomunicación. No son pocas las parejas que comienzan a manifestar insatisfacciones, no sólo en el plano sexual sino en el plano de la relación en general tras haber encontrado un amante. Esto se debe a que cuando decidimos formar una pareja, nos imaginamos interactuando con ella de una forma determinada, por lo que cargamos nuestra relación con una serie de expectativas que después no siempre se cumplen. Al no cumplirse, nos llenamos de frustración y comenzamos el juego de buscar en otras personas lo que supuestamente nuestra pareja no nos da. De todas formas, las personas que tienen amantes fuera de la relación formal suelen autocuestionarse por el engaño del que hacen producto a su pareja, pero al mismo tiempo la culpabilizan, tratando así de justificar su "doble vida".

EL MATRIMONIO

Hablamos del matrimonio pero con ello también nos referimos a las parejas que conviven sin estar casadas. Y es que en cualquiera de los dos casos se requiere de mucha habilidad para manejar las emociones y superar las distintas etapas de la vida. No es fácil unir a dos personas que son completamente distintas, criadas con diferentes valores, ideales y actitudes, y conseguir una convivencia sana, larga y duradera. Uno de los principales aspectos que se necesita para que una relación de pareja o matrimonial se mantenga, es la predisposición. El tener la verdadera intención y las ganas de querer ser feliz y además de hacer feliz a nuestra pareja. Al unir nuestras vidas con alguien debemos tener claro que hemos sido nosotros quienes hemos elegido a esa persona para compartir nuestro presente y futuro, para crecer juntos en todos los aspectos de la vida. Es natural que en el proceso de adaptación ocurran desacuerdos y malos entendidos, pero lo importante es poder hablarlo de forma pasiva, comprensiva y cooperativa, logrando una comunicación efectiva. Y para conseguir esto, indudablemente, se necesita de mucha Inteligencia Emocional, ya que si no controlamos nuestras emociones y nos dejamos llevar por la ira, la frustración o el egoísmo, afectaremos los resultados positivos en ese proceso de adaptación.

Un aspecto primordial para que un matrimonio funcione a largo plazo es la empatía. El saber ponerse en la piel del otro antes de emitir juicios o acusaciones es un acto de Inteligencia Emocional clave para una relación matrimonial sana. Si por ejemplo, el cónyuge llega al hogar con estrés y ansiedad del trabajo, o a la inversa, si está cansado de estar mucho tiempo lidiando con la crianza de los hijos, sería ilógico añadir más leña al fuego empezando discusiones o verbalizando quejas sobre su comportamiento. Una actitud empática sería preguntarle si quiere hablar y ofrecerle la oportunidad de tener su propio espacio por unos momentos. Si decide que quiere hablar, lo mejor es escucharlo y darle opiniones positivas en vez de emitir juicios de valor.

Por otro lado, una buena base para conseguir que reine la armonía en el matrimonio también es el compañerismo. Las personas tienen distintas maneras de vivirlo y de expresarlo, además de diferentes necesidades relacionadas con él, pero generalmente el matrimonio produce un sentimiento muy intensificado sobre el mismo. El compañerismo involucra el propio sentido de los límites personales, en qué medida desea uno abrirse hacia alguien e incorporarlo a su vida más íntima y a sus emociones. También refleja el punto en el cual alguien puede sentir que está perdiendo su propia identidad o está siendo eclipsado por el otro. Esto, evidentemente, es una cuestión muy personal. Por tanto, cuando dos personas no se dan cuenta de que son muy diferentes el uno del otro en este apartado, uno de ellos puede empezar a sentirse sofocado y oprimido, mientras que el otro puede sentirse solo, abandonado o incluso no amado.

Otro aspecto importante en el matrimonio en lo que a Inteligencia Emocional se refiere es la crianza de los hijos. No debemos olvidar que la base de que estemos casados o convivamos juntos es el amor de pareja. Por eso, cuando vienen los hijos no podemos sustituir este amor por una dedicación casi exclusiva hacia ellos. Es necesario crear un equilibrio sano entre ambas partes, ya que todas son igual de importantes. Cuando una pareja remplaza el amor conyugal por el de los hijos, casi con toda seguridad le traerá resultados negativos tanto a nivel marital como familiar. Además, mientras más se centre el matrimonio en los hijos, más egocéntricos se volverán éstos. El resultado de un exceso de atención provoca que los hijos no valoren los esfuerzos de sus progenitores, ya que verán como normal ser el centro de atención de sus vidas. Así, los hijos se volverán más manipuladores, exigentes e indiferentes ante todo lo que sus padres hacen por ellos.

A la larga, este tipo de comportamiento será más nocivo que beneficioso y traerá resultados contrarios a los que los padres pensaban lograr para sus hijos, ya que los hará infelices en sus vidas, pues creerán que su felicidad depende más de los otros que de ellos mismos. Estos modelos los arrastrarán a sus relaciones interpersonales y les ocasionará malestar a quienes los rodean y a ellos mismos. De modo que, en la Inteligencia Emocional de niños y jóvenes no puede fallar la mezcla entre disciplina y amor.

LA SEPARACIÓN Y EL DIVORCIO

Por desgracia, la separación y el divorcio son alternativas por las cuales puede pasar cualquier pareja en un momento dado de su vida. Lamentablemente, existen circunstancias que, en ocasiones, escapan al control emocional y racional de los cónyuges y la separación y/o el divorcio, se convierten en herramientas que pueden evitar un mal mayor.

Los problemas más habituales que pueden deteriorar el amor de una pareja son: la aparición del primer embarazo, cuando es producto de una gestación no deseada, la insatisfacción sexual, la falta de comunicación o la comunicación negativa, el tránsito del amor pasional al amor maduro, la distribución de las tareas del hogar, la intervención de la familia de ambos cónyuges en su vida, la infidelidad y los celos y los problemas económicos.

La experiencia demuestra que una de las primeras causales de divorcio que se plantea en la práctica de la Psicología Clínica, es que la pareja no se conocía bien antes de casarse. En muchas oportunidades el novio y la novia, durante la etapa prematrimonial, tratan de hacerle ver a la otra parte que ellos son como se supone que quiere la pareja que sea; y no se muestran como en realidad son. En los noviazgos cortos, las parejas no tienen tiempo real de conocerse y cuando se casan pueden encontrarse que lo han hecho con una pareja que dista mucho de ser el ideal que tenían como lo que debería ser su cónyuge.

En los Estados Unidos, uno de cada dos matrimonios se divorcia. En Inglaterra y Francia, uno de cada tres. Ejemplos que son significativos de cómo el divorcio avanza en los países desarrollados. Más del 40% de los niños de estos países, vivirán con sus padres durante su primera etapa de la niñez y (después de un divorcio) con uno de sus padres y su nueva pareja, en la segunda etapa de su vida.

La mayoría de los divorcios están precedidos por meses o incluso años de disputas, ofensas, desamor, peleas, desilusiones y frustraciones. En un primer lugar, las parejas comienzan con provocaciones mutuas, con trato y vocabulario hostil y episodios de gritos y de abuso verbal o incluso físico.

Así pues, la intensidad de las emociones, el dolor, las ofensas, el rencor y otros sentimientos provocan un daño profundo en la pareja difícil de recuperar. Por otro lado, si no se hace con suficiente Inteligencia Emocional, la victimización de los hijos atrapados en la "batalla conyugal", produce deterioros psicológicos en la mente de los menores, pues los niños quedan amedrentados por las escenas, sin saber qué hacer y se sienten desorientados, impotentes y tristes por la falta de control de sus padres. Además los padres tienden a pedirles solidaridad a los hijos (cada uno por su lado) generándoles graves conflictos de decisión.

Posteriormente, si la pareja no logra manejar los conflictos y comienzan un proceso de divorcio, inician un período de enfrentamiento por distintas razones, sean por rencor, rabia o por la división del patrimonio conyugal. En esta fase se intensifica la hostilidad, el deseo de daño de uno al otro. Surge el odio, la amargura y a veces hasta el deseo de venganza.

En esta etapa, muchas parejas piensan que quitándole los hijos al otro ganan la pelea, sin darse cuenta que les están haciendo un gran mal psicológico a los niños.

El principal problema que tienen los hijos cuando surge la separación o el divorcio, es que los padres incurren en una serie de conductas totalmente erróneas hacia ellos. Los progenitores no deberían nunca poner a los niños como "espías" para que les informen qué está haciendo el otro cónyuge, o como "mensajeros" para comunicarse entre ellos. Tampoco deberían presentar reacciones agresivas contra sus hijos para vengarse de la pareja, ni amenazar al cónyuge en el sentido de que si se divorcian le harían un daño tremendo a los hijos para tratar de evitar la separación. Posteriormente, al producirse el divorcio, los padres no deberían quedar resentidos con sus hijos ni tener conductas inapropiadas contra los mismos, tales como el abandono afectivo por parte del padre que no tiene la custodia o la sobreprotección por parte de quien la tiene. Tampoco se le debe presentar al hijo una nueva pareja antes que él esté en capacidad de asimilar ese impacto. Todos estos comportamientos provocan conductas profundamente obstaculizadas en la evolución psicológica de los niños. Investigaciones revelan que los hijos de padres divorciados presentan menor autoestima que los de matrimonios constituidos. El divorcio es el más grande stress que un niño pueda soportar como hemos visto. Los niños perciben la muerte de un padre de manera más natural que un divorcio. Los hijos de divorciados necesitan más tratamiento psicológico que los de los no divorciados. Las consecuencias de una conducta inadecuada de los padres cuando se divorcian pueden ocasionar ansiedad, miedo, inseguridad, sentimientos ambivalentes y diferentes trastornos de conducta. De manera que si una pareja se encuentra en proceso de divorcio, debe tener en cuenta:

1. El problema es con nuestra pareja, nunca con nuestros hijos.

2. La única forma en que nuestros hijos no sufran durante la separación o divorcio es que como padres seamos plenamente conscientes de que debemos explicarles claramente la situación a ellos y decirles que, independientemente de la decisión que tomen, ambos cónyuges seguiremos queriéndolos y ayudándolos.

3. Si no hay más remedio que el divorcio, siempre será preferible una separación amistosa que una conflictiva, por el bienestar y seguridad de los hijos y de la propia pareja.

4. Hay que hacer un gran esfuerzo para superar el rencor y la rabia, pero es indispensable por el bien de todos.

En el Departamento de Psiquiatría de la Universidad de Michigan se encontró que los hijos de divorciados eran tratados en una proporción de dos a uno con la población general. Estos niños sufrían, en la mayoría de los casos, síntomas asociados a la falta de control en la agresión. En los más pequeños, la agresividad era contra los padres separados y los hermanos. En los mayores, ya adolescentes, el problema tomaba forma de actos antisociales y de delincuencia, así como alcoholismo y adicción a las drogas. De manera que, cuando la pareja se plantea un divorcio y no hay más remedio, hay que tener en cuenta todo lo expresado y procurar el mayor esfuerzo en que no se generen tantos problemas. Aunque parezca difícil, el divorcio o la separación debe ser acordada hasta donde se pueda y negociada. El terapeuta familiar en este momento puede jugar un gran papel, al ser el referente psicológico para juzgar lo que el juez legal no puede resolver.

No reconocer los sentimientos propios es como ignorar quién es uno mismo, qué necesitamos o qué tenemos para ofrecer, por qué estamos haciendo lo que hacemos o qué otra cosa podríamos hacer. En última instancia, esa inconsciencia respecto a uno mismo crea una especie de no-vida indiferente y alienada. Es muy importante estar en contacto con nuestros sentimientos, tanto para conseguir nuestra propia realización como para aceptar, comprender y saber conducirnos con las emociones del otro.

No siempre es fácil conocer nuestros sentimientos. Algunas veces los escondemos porque nos sentimos avergonzados de ellos. Pero hemos de tener claro que las personas tienen sentimientos de todo tipo y que esto es totalmente natural. Nuestros sentimientos incluyen el amor, el odio, la ambición, la satisfacción y mucho más.

Ejercicio de autovaloración emocional en el matrimonio:

¿Cómo sacar a la luz aquellos sentimientos más profundos que podemos haber estado escondiendo inconscientemente?

1) Algunas veces es útil sentarse tranquilamente a solas y pensar, o decir, o incluso escribir todas las diferentes palabras que, aparentemente, describen nuestro estado tanto físico como emocional. Si bien comenzaremos con las más obvias (enfadado, por ejemplo), podemos progresar hacia otras que son mucho más reveladoras como: sudor, calor, temblor, nervios, inseguridad. Ahora tomamos la palabra que, en cierto modo, aparezca como inesperada y analizamos su importancia. "Inseguridad". "¿De qué puedo estar inseguro/a? ¿De que tal vez no esté en lo cierto? Pero yo creo estarlo. ¿De que quizá él/ella no me comprenda? ¿Tal vez mi enojo le haya apartado de mí? ¿Existe acaso otra manera de explicarle lo que pienso?... Sus críticas me han hecho sentir rechazado/a y abandonado/a..." Y finalmente descubriremos que este sentimiento profundo que hemos descubierto detrás de la ira es el rechazo.

---

2) Cada vez que tenemos una reacción exagerada (cuando la intensidad de la reacción está en desproporción con el estímulo), debemos pensar qué hay detrás de todo ello, si es algo más profundo o de mayor significado. Intentaremos hacer una pausa y decir: "Un momento, ¿qué está pasando realmente aquí? ¿Por qué estoy derramando lágrimas reales por un asunto casi trivial?"

3) Por otra parte, podemos llegar a entender nuestros sentimientos más profundos permaneciendo con la emoción de la que somos conscientes, pensando en otras situaciones en las que nos hemos sentido de la misma manera, o evocando a otras personas que provocan el mismo sentimiento en nosotros. ¿Cuál ha sido nuestra posición en estas situaciones anteriores? ¿estábamos a cargo de la situación o estábamos fuera de control, ignorando los acontecimientos? ¿acaso esperábamos ser perfectos? ¿cómo se sentían las otras personas respecto a nosotros? ¿creemos que éramos amados, respetados, aceptados, juzgados, criticados o rechazados?

4) Podremos obtener una serie de informaciones muy útiles preguntándonos a nosotros mismos: "¿Me recuerda esto a cuando yo era niño y vivía con mis padres? ¿Cómo me trataban entonces? ¿Cómo deseaba que me trataran? ¿Estoy experimentando ahora sentimientos que tenía cuando niño, en ocasiones en que de verdad estaba indefenso y vulnerable? ¿Son estas emociones las apropiadas para el adulto que soy ahora?"

5) También podemos llegar a tomar contacto con nuestros sentimientos más profundos considerando la emoción opuesta o, al menos, una emoción que sea completamente diferente a la que estamos manifestando exteriormente en esos momentos. En el caso de que estuviéramos pensando: "¡Estoy furioso/a!", podemos probar con: "¡Estoy dolido/a!", pues quizás la clave de nuestra rabia es que nos hemos sentido heridos en lo más profundo. Si, por el contrario, tenemos ganas de llorar porque nos sentimos heridos, intentaremos con los sentimientos opuestos de ira u odio. Trataremos de refrenar las lágrimas, que bien pueden no ser de pena sino de rabia. Es importante ser sinceros son nosotros mismos.

6) Si nos sentimos tan desamparados o bloqueados que no podemos hacer algo, intentemos observarnos interiormente, qué diálogo tenemos con nosotros, por ejemplo estamos diciendo: "No puedo" o "tengo miedo de...", esto significa que estamos paralizados y tal vez, en algunas ocasiones, lo estemos realmente. Pero tal vez nos sea posible llegar a saber lo que le está sucediendo verdaderamente. Quizás quisimos decir "no lo haré" o "no deseo hacerlo". Si llegamos a esa conclusión, tal vez consigamos una cierta tensión que podemos utilizar para la acción. Si el "no puedo" significa que tenemos miedo de hacer algo por temor a las consecuencias, analicemos el miedo: "¿De qué tengo miedo? ¿Qué es lo peor que puede suceder?"

MÉTODOS DE SOLUCIÓN Y NEGOCIACIÓN DE CONFLICTOS EN LA PAREJA

Las siguientes destrezas pueden ayudarnos a impedir que las emociones y la conducta crítica escalen y nos lleven a una relación auto-destructiva donde intentemos hacer daño consciente o inconscientemente al otro.

Ya hemos mencionado algunas actitudes y métodos que ayudan al manejo positivo de los conflictos.

Otros métodos usualmente útiles son:

- Decidirse aceptar en forma adulta y madura que se tiene un conflicto o que "algo" no anda bien en la relación, y que es necesario enfrentar ese hecho para buscar las soluciones.

- Decidirse a comenzar un diálogo sobre el "asunto".

- Aclarar, cada miembro de la pareja por separado, antes de sentarnos a conversar de lleno los asuntos, qué es lo que a nuestro juicio nos parece que es el o los problemas.

- Escoger el momento y lugar propicios para el diálogo.

Existen lo que llamamos "malos momentos" para empezar a poner en marcha el diálogo sobre un conflicto marital, algunos de ellos son:

- Durante las comidas.

- Mientras se va de paseo con los niños.

- Al acostarse.

También existen "malos lugares":

- Sitios que no provean privacidad.

- Sitios que no provean confidencialidad.

- Sitios donde comúnmente se discute o pelea.

Qué hacer entonces para crear un clima propicio para el diálogo asertivo y emocionalmente inteligente:

- Aclarar el punto de vista que cada uno tiene sobre el o los problemas.

- Llegar a un punto de unión sobre cuál pensamos que es verdaderamente el o los problemas.

- Evitar los insultos y focalizar NO EN LA PERSONA, sino en la búsqueda de solución del problema (respetarse).

- Cada miembro de la pareja debe proponer sus alternativas de solución y lo que espera que se debe dar como resultado de las mismas.

- Escoger la combinación de alternativas de solución más realista, razonable y práctica (eludiendo la búsqueda perfeccionista de soluciones).

- Dar un tiempo razonable para que funcionen las soluciones.

- Evaluar de tiempo en tiempo los resultados.

- Hacer ajustes necesarios a las soluciones conforme se progresa (esperanzadamente y en forma positiva).

- Respetar y cumplir los acuerdos.

Por desgracia, muchas parejas se estancan en conflictos interminables que a menudo degeneran en francas luchas de poder, porque no conciben la solución de los dilemas como un proceso que eventualmente puede ser resuelto a través de la negociación de los asuntos en cuestión. Pero si somos capaces de poner en práctica los consejos que hemos dado anteriormente, seguro que el clima conyugal mejorará notablemente para todos.

LA INTELIGENCIA EMOCIONAL EN LA INFANCIA

Si uno no deja que los niños hablen,
no sabemos qué lo que están pensando.

Pedro Moreno

Grandes filósofos de la antigua Grecia, como Platón, ya hablaban de la Educación como "medio cuyo fin era proporcionar al cuerpo y al alma toda la perfección y belleza de que una y otra son susceptibles". Así pues, desde este punto de vista, podríamos definir la Educación como la suma de procesos por medio de los cuales un grupo social transmite sus conocimientos, reorganizando y reconstruyendo las emociones, para adaptar al individuo a las tareas que desempeñará en el proceso psicológico a lo largo de su vida (desde la infancia hasta la vejez).

La Inteligencia Emocional, como toda conducta, es transmitida de padres a hijos, sobre todo a partir de los modelos que el niño se crea sobre los adultos. Los niños, casi desde el mismo momento del nacimiento, son capaces de captar los estados de ánimo de los mayores con gran exactitud, es algo innato en todos los humanos y básico para la vida social a la que estamos adaptados desde hace millones de años.

Pero una cosa es captar el estado de ánimo del prójimo, y otra muy distinta es saber utilizar nuestras emociones y las de los demás de forma positiva para todos. Esto último es una forma de comportamiento que no es tan innata, sino más bien aprendida. Numerosos estudios demuestran que los niños con una Inteligencia Emocional alta aprenden mejor, tienen menos problemas de conducta, gozan de mayor autoestima, mayor facilidad de resistir las presiones de su alrededor, son menos violentos y tienen más empatía, a la vez que resuelven mejor los conflictos.

Otras características de los niños emocionalmente inteligentes es que tienen menos probabilidades den recurrir a una conducta autodestructiva, como drogas, alcohol, embarazo adolescente, etc., además tienen más amigos, gozan de mayor capacidad para controlar los impulsos y son más felices, saludables y exitosos.

El conocimiento afectivo está muy relacionado con la madurez general, autonomía y la competencia social del niño.

A continuación ofrecemos algunas de las estrategias que podemos utilizar para estimular la Inteligencia Emocional en los niños, que son:

- **Hablar de las emociones**: Ser capaces de nombrar y hablar abiertamente de las emociones como el miedo o la tristeza, les ayuda a reconocer esas emociones cuando las sienten en ellos mismos y a entender que son normales e iguales para todos. Saber qué es lo que sienten les puede ayudar a sobrellevar mejor dicho sentimiento. Para aprender a reconocer sus emociones como la alegría, tristeza, cólera o miedo, la mejor forma de hacerlo es a través de cuentos, dibujos, o historias.

- **Relacionar gestos y con sentimientos**: También es importante que el niño aprenda a identificar las emociones de otras personas, de esta manera desarrollará la empatía. Para lograrlo podemos ayudarle haciendo gestos de sorpresa, tristeza, enfado, alegría, miedo..., conversando con él acerca de las emociones que pueden estar sintiendo los personajes de un cuento o los actores de televisión.

• **Orientarlos**: Una vez que los niños sepan reconocer sus emociones, les podemos dar normas básicas para enfrentarse a ellas. Una buena norma podría ser decirle que cuando esté enfadado no debe mostrarlo haciendo daño a los demás, pegándoles o insultándoles, por ejemplo, ni rompiendo cosas. Debemos explicar a nuestros hijos lo que sí pueden hacer. Por ejemplo: correr por el jardín, dibujar figuras enfadadas, dar puñetazos a una almohada, arrugar un papel, etc. Hacer esto no es malo, al contrario, expresar lo enojado que se siente es saludable, siempre que se exprese de manera aceptable. Además de esto se debe enseñar al niño a relajarse cuando esté nervioso o disgustado, animándolo a respirar hondo mientras cuenta hasta tres y a expulsar despacio el aire.

• **Desarrollar la empatía**: Es importante que aprendan a reconocer sus propias emociones y las de los demás, pero de forma que realmente las entiendan, para que puedan ponerse en el lugar del otro si es necesario. Por ejemplo, si un amigo suyo se cae y se hace daño, el lloro que éste expresa es de dolor, lo cual es una emoción negativa, no hay que reírse de él, habrá que entender por lo que está pasando y ofrecerle nuestra ayuda.

• **Felicitarles cuando se lo merecen**: Felicitar a nuestros hijos cuando se enfrentan bien a sus emociones o muestran preocupación por los demás, es básico para que vean que esta conducta es correcta y acabe formando parte de su personalidad adulta, les podemos ayudar diciéndoles que nos damos cuenta de ello, por ejemplo: "Muy bien, has ido a tu cuarto a tranquilizarte tu solito y como ves ahora estás mejor".

• **Enseñarles con el ejemplo**: Desde siempre, esta ha sido la mejor manera de enseñar a nuestros hijos. Por eso también es la forma más natural de que entiendan cómo expresar adecuadamente las emociones, sin causar daño. Por ejemplo, si hemos pasado un mal día en el trabajo, demos un pequeño paseo antes de regresar a casa y gritar para desquitarnos con los demás. Otras estrategias para calmar el estrés son: respirar hondo, darse un baño caliente, llamar a un amigo o escribir en un diario personal. Si no lo hemos podido evitar y tenemos una explosión de mal genio delante de nuestros hijos, hablemos luego con ellos. Contémosles por qué estábamos enfadados. Luego expliquémosles que nos enfrentamos a nuestros sentimientos de forma equivocada y que intentaremos hacerlo mejor la próxima vez.

LA INTELIGENCIA EMOCIONAL EN EL CONTEXTO FAMILIAR

La personalidad se desarrolla a raíz del proceso de socialización individual, en la que el niño asimila las actitudes, valores y costumbres de la sociedad de forma inconsciente y natural. Son los padres los encargados principalmente de contribuir a esta labor, a través de su amor y cuidados, pues son en esencia una figura de identificación para los niños, además de agentes activos de socialización. En resumen, la vida familiar será la primera escuela de aprendizaje emocional.

Por otro lado, los padres también van a influir en el mayor número de experiencias vitales del niño, repercutiendo éstas en el desarrollo de su personalidad. De esta forma, al controlar la mayor parte de las vivencias de sus hijos, los padres contribuyen al desarrollo de la cognición social.

Una frase muy acertada y útil en este sentido, tal y como dijeron M. J. Elías, S. B. Tobías y B. S. Friedlander en su libro *Educar con Inteligencia Emocional* (1999), es la siguiente: "Trate a sus hijos como le gustaría que les tratasen los demás". Si analizamos esta norma podemos obtener **5 principios** que si los ponemos en práctica para nuestras vidas, los niños los asimilarán de manera natural:

1. Seamos conscientes de nuestros propios sentimientos y de los de los demás.

2. Mostremos empatía y comprendamos los puntos de vista de los demás.

3. Hagamos frente de forma positiva a los impulsos emocionales y de conducta y regulémoslos habilidosamente.

4. Planteémonos objetivos positivos y tracemos planes para alcanzarlos.

5. Utilicemos las dotes sociales positivas a la hora de manejar nuestras relaciones.

Y si observamos estos principios detenidamente, nos damos cuenta que nos encontramos delante de lo que son los cinco componentes básicos de la Inteligencia Emocional ya mencionados anteriormente.

- Autoconocimiento emocional

- Reconocimiento de emociones ajenas

- Autocontrol emocional

- Automotivación

- Relaciones interpersonales

Por otra parte, varios estudios han demostrado que existen tres estilos de comportamiento inadecuados por parte de los padres hacia sus hijos, son los siguientes:

1. Ignorar completamente los sentimientos de un hijo, pensando que los problemas de éstos son triviales y absurdos.

2. El estilo laissez-faire. En este caso, los padres sí se dan cuenta de los sentimientos de sus hijos, pero no le dan soluciones emocionales alternativas, y piensan que cualquier forma de manejar esas emociones "inadecuadas", es correcta (por ejemplo, regañándoles o incluso pegándoles).

3. Menospreciar o no respetar los sentimientos del niño (por ejemplo, prohibiéndole al niño que se enfade, ser severos o gritarles cuando se irritan...).

COMUNICACIÓN EFECTIVA EN LA FAMILIA

Está claro que la comunicación influye en las relaciones humanas y condiciona nuestras vidas, pero es una necesidad inherente del ser humano para expresar lo que se piensa y se siente. Al comunicar estamos transmitiendo energía, la cual debemos enfocar hacia los mejores fines como son la unidad, la armonía, la paz, es decir al crecimiento y desarrollo de la persona en sus diferentes ámbitos.

Así pues, para que todo fluya de forma positiva en la comunicación familiar, definitivamente debemos evitar:

- Decir palabras ofensivas, pues provocan una explosión de emociones hirientes hacia la otra persona.

- El silencio, cuando se utiliza como excusa para no discutir un asunto, para no responder a preguntas o para mostrar desinterés, pues ofrecen una desagradable sensación de indiferencia hacia los sentimientos y necesidades del otro, de abandono y de poco valor.

- Las críticas, pues producen una atmósfera negativa y tensa entre los miembros de la familia.

- Las generalizaciones, pues cada hogar tiene sus reglas y especificaciones.

- Falta de contacto visual, para que la comunicación sea real debemos mirar bien a los ojos y evitar evasivas.

- Los gritos, cuando se habla en voz alta, reclamando, censurando, se estropea el proceso de comunicación, de vez en cuando hay que permitir la toma de decisiones por parte de los miembros de la familia, y aceptarlas tranquilamente aunque no nos gusten totalmente.

- No escuchar, cuando interrumpimos constantemente, cuando estamos a la defensiva y despreciamos las ideas y sentimientos de la otra persona, pues le estamos enviando un mensaje de menosprecio hacia sus emociones y sentimientos.

- Las emociones negativas al comunicarnos, la rabia, el menosprecio o la ira no deben prevalecer, al acusar incrementamos problemas y sufrimientos resultando así más difícil la reconciliación y el perdón.

INTELIGENCIA EMOCIONAL EN LA ADOLESCENCIA: SINÓNIMO DE MADUREZ

El desarrollo del ser humano es un proceso lento pero constante, donde se adquieren evoluciones físicas y madurez mental, no obstante, la madurez cognitiva alcanza su nivel máximo durante la etapa de la adolescencia, la cual no es más que una etapa de transición (que varía en las diferentes culturas) y que se define como el periodo de tiempo que los sujetos necesitan para considerarse autónomos e independientes socialmente, para así poder hacerse responsables de sus propias vidas.

La adolescencia suele considerarse como un periodo de transición entre la niñez y la edad adulta, en la cual se dan una serie de cambios, no sólo en lo físico y biológico, sino que también se aprenden ciertas conductas que son determinantes para su socialización.

El desarrollo de esta etapa es una de las más conflictivas en el ser humano, puesto que es aquí donde se desencadena una gran cantidad de emociones y cogniciones. De alguna manera todo es confuso para el adolescente, puesto que ya no es un niño, pero tampoco es un adulto, la sociedad y los medios los bombardean con una serie de mensajes que vuelven todavía más confusa su vida.

Por lo general, se puede apreciar que los adolescentes carecen bastante de autocontrol, son muy impulsivos, se dejan llevar por fácilmente los caprichos y los cambios de humor, quieren hacerlo todo y lo quieren ya, lo que les trae consecuencias no esperadas; es por esto que el adolescente debe poseer la capacidad de manejar sus emociones por medio un adecuado autocontrol emocional, puesto que suele estar expuesto a situaciones estresantes que ponen al organismo bajo tensión. El autocontrol constituye un organizador excelente para controlar y coordinar las funciones elementales y recobrar el equilibrio emocional.

Otra fuente de alteración en los adolescentes son los sentimientos y las emociones exacerbadas, pues alteran el pensamiento racional. Así pues, cuando se está enamorado o cuando se está enojado, la razón y el pensamiento no tienen las demasiadas oportunidades de éxito, por lo que el adolescente debe ser capaz de reconocer sus errores y canalizarlos de forma que no le afecte negativamente a sí mismo o a los de su alrededor. Pero el control del comportamiento no se refiere únicamente a inhibir conductas, sino a regular las formas de pensar, meditando las acciones antes de realizarlas, sin adelantar juicios de valor que puedan afectar a los demás.

Los adolescentes emocionalmente inteligentes tienen las siguientes características:

- Saben qué emociones experimentan y por qué.
- Perciben los vínculos entre sus sentimientos y lo que piensan, entre lo que hacen y dicen.
- Conocen sus puntos fuertes y débiles.
- Controlan su impulsividad y sus emociones perturbadoras.
- Piensan con claridad y no pierden el control cuando son sometidos a presión.
- Son socialmente equilibradas y comprenden los sentimientos y preocupaciones de los demás así como sus perspectivas.

La forma ideal de desarrollar la Inteligencia Emocional para entrar en la madurez con serenidad, es mediante una adecuada crianza en el hogar, en el que los padres logren mantener un equilibrio entre el amor y la disciplina. Y siempre, siempre, manteniendo una buena comunicación con sus hijos. No juzgando antes de tiempo y ofreciéndoles orientación y consejo, los adolescentes están dispuestos a escuchar pero si les dan la opción de poder opinar, sin imposiciones, dado que ya no son niños pequeños y también necesitan aprender de sus propios errores.

En ocasiones al entrar esta etapa de semi-madurez, hay una cierta relajación en la atención que los padres prestan a sus adolescentes. Pero esto es un error pues necesitan la misma cantidad de atención y cariño que cuando eran más pequeños, o incluso algo más.

Hemos de tener en cuenta que el desarrollo mental y emocional del adolescente puede resultar muy interesante y beneficioso para la familia, pues aportan nuevas formas de enfocar problemas, dan a conocer los intereses de la juventud, ofrecen opiniones diferentes sobre temas sociales, etc.

Evidentemente, cada familia tiene sus formas de educar, de pensar y sus propios valores, pero las recientes investigaciones demuestran que existen algunas cualidades comunes en los padres que facilitan la madurez en la Inteligencia Emocional de sus hijos:

- **Les muestran su amor**: Los adolescentes necesitan saber que cuentan con sus padres, que pueden comunicarse libremente con ellos, pues les comprenden y dedican tiempo a sus necesidades, deben saber que se preocupan por su bienestar. Los padres pueden rechazar muchas de las opiniones y actitudes de sus hijos adolescentes, pero no significa que no los quieran, y ellos han de estar seguros de esto.

- **Les apoyan**: Aunque los padres consideren poco importantes algunos de los problemas del adolescente, este necesita igualmente su apoyo. El elogio y el reconocimiento de sus progenitores cuando se esfuerzan, el aliento para desarrollar sus intereses, es básico para que no se desencanten y pierdan el interés por cosas importantes como los estudios o nuevos proyectos.

• **Les dan ejemplo**: Mientras exploran distintas posibilidades de qué quieren hacer de mayores, los adolescentes buscarán ejemplo en sus familiares, amigos, famosos u otras personas, pero sobre todo en sus padres.

• **Les ponen normas**: Fijar límites (eso sí, razonables para cada etapa de desarrollo) hace sentirse emocionalmente seguros tanto a niños como adolescentes. Poner normas y supervisar que se cumplen de forma consistente y adecuada a la edad, facilita un desarrollo equilibrado y un mayor ajuste psicológico en la edad adulta. Se debe huir tanto del autoritarismo como de la indulgencia, fijando límites y normas claras, razonables y bien explicadas.

• **Les muestran respeto**: Es falso que todos los adolescentes sean rebeldes y difíciles, aunque tiendan a transgredir límites para probarse a sí mismos, lo que sí es cierto es que necesitan ser tratados con respeto, que se les reconozca y aprecie sus diferencias y se les trate como personas.

• **Les enseñan responsabilidad:** El sentido de la responsabilidad se adquiere con el tiempo. Según crecen aprenden a responsabilizarse de sus tareas escolares, a colaborar en tareas domésticas, participar en actividades sociales y aceptar las consecuencias de sus buenas o malas decisiones. Pero los padres han de orientarlos en este sentido, ofreciéndoles un modelo a seguir y unas normas de disciplina básicas.

• **Les animan a tener experiencias**: Según los valores y recursos de cada familia conviene que los adolescentes tengan oportunidad de conocer cosas nuevas. La curiosidad le hará probar nuevos deportes, nuevos intereses académicos, artísticos, o probar en actividades sociales o religiosas diversas. Hay que animarlos y nunca desalentarlos, la exploración es parte fundamental de la adolescencia.

No existen los padres perfectos. Una mala contestación o decisión dada un "mal día" no tiene por qué afectar a un hijo de por vida. Lo importante es lo que hagamos de forma habitual, el día a día. Y por suerte, como ya hemos dicho al principio del libro, la Inteligencia Emocional puede ser entrenada y mejorada en cualquier etapa de la vida.

Ejercicio práctico: Para **poder resolver cualquier situación problemática de ámbito familiar**, sería aconsejable contestar una serie de preguntas antes de actuar:

1) ¿Qué sentimos en esa determinada situación? ¿Qué sienten nuestros hijos?

2) ¿Cómo interpretamos lo que está pasando? ¿Cómo creemos que lo interpretan nuestros hijos? ¿Cómo nos sentiríamos si estuviéramos en su lugar?

3) ¿Cuál es la mejor manera de hacer frente a esto? ¿Cómo lo hemos hecho en otras ocasiones? ¿Ha funcionado realmente?

4) ¿Cómo vamos a llevar esto a cabo? ¿Qué es preciso que hagamos? ¿Cómo debemos abordar a los demás? ¿Estamos preparados para hacer esto?

5) ¿Contamos con las aptitudes necesarias? ¿Qué otras formas pueden existir de resolver el problema?

6) Si nuestro plan se topa con imprevistos, ¿qué haremos? ¿Qué obstáculos podemos prever?

7) ¿Cuándo podemos reunirnos para hablar del asunto, compartir ideas y sentimientos y ponernos en marcha para obtener el éxito como familia?

LA ALEGRÍA Y
EL BUEN HUMOR

La alegría del alma forma los bellos días de la vida.

Sócrates (s. VI a. C.)

Mucha gente cree, que para triunfar basta con levantarse temprano. No: es necesario también levantarse de buen humor.

Marcel Achard

Como ya hemos visto, las emociones poseen un papel fundamental en nuestro funcionamiento diario. No sólo propician la activación y coordinación de cambios físicos, cognitivos y conductuales necesarios para dar una respuesta adecuada a las demandas de nuestro ambiente, sino que influyen de forma significativa en el modo en que tomamos decisiones y son una fuente útil de información para comprender las relaciones que se establecen entre las personas y su medio.

Entre todas ellas, la emoción más agradable de todas, sin duda, es la alegría. La palabra alegría deriva del latín *alicer-alecris*, que significa vivo y animado. Se define como "un sentimiento de placer que tiene una persona cuando se produce un suceso favorable o cuando obtiene una cosa que deseaba, y que suele expresarse externamente con una sonrisa, con risas, etc." Es en realidad un estado interior fresco y luminoso, generador de bienestar general, con altos niveles de energía y una intensa disposición. La alegría es una emoción, una acción constructiva, que puede tener cualquier persona y que cuando la experimentamos se nos ve en nuestra apariencia, lenguaje, decisiones y actos.

Además de "formar los bellos días de la vida", como dijera Sócrates, la alegría, o el buen humor, son importantes porque no hay aspecto de nuestro diario vivir que les sea ajeno.

Una de las conductas más esclarecedoras de que alguien está alegre y feliz, es la risa. Además, la risa tiene un altísimo componente social, ya que raramente se produce en soledad, es contagiosa para los que se encuentran a nuestro alrededor y constituye una forma de comunicación innata en los humanos.

Repasemos ahora algunos de los beneficios de la risa:

1. La risa es salud

Aristóteles describía a la risa como "un ejercicio corporal valioso para la salud".

La medicina psicosomática se ha cansado de probar que nuestro estómago, corazón, cerebro y todos los órganos funcionan mejor cuando nos sentimos felices. La alegría y la risa aumentan nuestra resistencia física y actúa como un inhibidor natural del dolor. Hace millares de años el rey Salomón decía en sus proverbios: "Un corazón alegre nos hace tanto bien como una medicina, mientras un espíritu quebrantado nos seca hasta los huesos".

2. La risa es un medio rápido, fácil y gratuito de relajación

La risa interrumpe la actividad mental: divierte, o más bien relaja la atención, impidiendo así a la mente entretenerse en cuestiones perniciosas. La risa también levanta un espíritu triste y cansado.

3. El buen humor es una de las mejores prendas de vestir con que podemos presentarnos en sociedad

W. M. Thackerai, acerca del buen humor en el trabajo dijo: "Reír es también bueno para los negocios. Puede reducir las tensiones, da vida a las presentaciones y estimula la creatividad. En un ambiente de negocios, cuando a las personas se les permite reír, aunque sea quince segundos, obtienen más oxígeno para el cerebro, lo que les hace pensar más claramente". También agrega que el humor borra o atenúa las jerarquías, produciendo menos acartonamiento.

En nuestro trabajo diario, la risa es una vacación instantánea y gratuita. Además: La risa es la distancia más corta entre dos hombres.

4. La risa y el buen humor rejuvenecen. La sonrisa hace que el rostro se vea más bello

Cómo fomentar la risa y el buen humor:

- Saber reírse de uno mismo de forma saludable.

- Buscar el lado gracioso, no de situaciones trágicas, pero sí de los problemas, imprevistos, situaciones embarazosas, etc.

- Fomentar todo el buen humor que podamos conseguir de otros, estimulándolo con el nuestro.

- Frecuentar espectáculos humorísticos, ver películas cómicas, tratar de tener en mente siempre algunos chistes, etc.

Frases célebres sobre la risa y el buen humor

Decía un rey de la antigüedad: "Anoté diariamente mis pesares, y cuando los releí al cabo de pocos años, me movieron a risa, en vez de arrancarme lágrimas".

"Si exagerásemos nuestras alegrías, como hacemos con nuestras penas, nuestros problemas perderían importancia". **Anatole France**

"La alegría es la piedra filosofal que todo lo convierte en oro". **Benjamin Franklin**

"Todo les sale bien a las personas de carácter dulce y alegre". **Voltaire**

"El corazón alegre es capaz de caminar todo el día. El corazón insensible a la alegría se cansa al cabo de una hora". **William Shakespeare**

"Una persona sin sentido del humor es como un coche sin amortiguadores. Salta de dolor con cada piedra del camino". **Henry Ward**

"...el anciano rió estentórea y gozosamente, agitando su anatomía de la cabeza a los pies, y terminó diciendo que aquella risa era dinero, pues disminuía las cuentas del médico". **Mark Twain, en Tom Sawyer**

"Voltaire dijo que el cielo nos había dado dos cosas para equilibrar las numerosas desgracias de la vida: la esperanza y el sueño. Podría haber añadido la risa". **Immanuel Kant**

"La persona que hace todo lo posible para que la felicidad dependa de sí misma y no de los demás, ha adoptado el mejor plan que existe para vivir feliz". **Anónimo**

"La felicidad no se encuentra al final del camino, sino a lo largo de él". **John F. Kennedy**

"Muchas personas se pierden las pequeñas alegrías mientras aguardan la gran felicidad". **Pearl S. Buck**

"Nuestro cerebro es el mejor juguete que se ha creado. En él están todos los secretos, incluso el de la felicidad". **Charlie Chaplin**

"La felicidad no es una estación a la que se llega sino una manera de viajar". **Margaret Lee Runbeck**

"La juventud es el paraíso de la vida, la alegría es la juventud eterna del espíritu". **Ippolito Nievo**

"El hombre se complace en enumerar sus pesares, pero no enumera sus alegrías". **Fiodor Dostoievski**

"La mitad de la alegría reside en hablar de ella". **Proverbio persa**

"Cuando una puerta se cierra otra se abre; pero en ocasiones vemos por mucho tiempo y con mucho remordimiento la puerta cerrada, que no vemos las que se han abierto para nosotros". **Alexander Graham Bell**

CONCLUSIONES FINALES

Como conclusión diremos que la Inteligencia Emocional es la capacidad para reconocer emociones en uno mismo y en los otros, sabiendo utilizar en cada momento dichas emociones de forma que nos ayuden de una forma adaptativa en nuestra vida en general.

Todas las áreas de la Inteligencia Emocional están interrelacionadas, es decir, el desarrollo de una de ellas nos traerá el desarrollo implícito o explícito de alguna otra. Además, el conocer nuestras propias emociones nos ayudará a desarrollar la empatía, parte fundamental de la Inteligencia Emocional. Debemos pensar que nunca podremos empatizar con alguien si no somos capaces de reconocer nuestros propios sentimientos primero.

Por otra parte, y como ya hemos comentado en varias ocasiones, todas estas habilidades se pueden entrenar y, teniendo en cuenta la utilidad de la Inteligencia Emocional en todas las áreas, sería una tontería que la dejáramos pasar estando tan cerca de nosotros.

Para llegar a conseguir desarrollarla podemos empezar de manera fácil y amena practicando los siguientes pensamientos y sentimientos agradables:

- **Sonríe**: Este hecho producirá en los músculos faciales unos cambios bioquímicos que cambian, como hemos visto, nuestra emoción y favorece la salud.

- **Reenfoca el problema**: Trata de encontrarle lo positivo a lo que sucede, recuerda que las situaciones difíciles son una gran oportunidad para aprender y es seguro que todos y cada uno de nosotros hemos experimentado situaciones conflictivas en el pasado y pudimos seguir adelante.

- **Practica ejercicio físico**: Como mínimo 20 minutos diarios. El cuerpo humano ha sido diseñado para moverse y requiere por tanto realizar ejercicio de forma regular para mantenerse funcional y evitar enfermar. El ejercicio físico y el deporte mejoran nuestra salud y calidad de vida, aportando una serie de beneficios a nivel físico, psíquico como socioafectivo.

- **Expresa tus sentimientos**: Ya sean buenos o malos, alegría o dolor, conversa con otras personas amigas o de confianza. Compartiendo los sentimientos y las emociones ayudamos a que los buenos se incrementen y los malos se vean desde una nueva perspectiva. Sobre todo si tienes sentimientos que te angustian, háblalo cuanto antes con la persona implicada, no es bueno guardarse el resentimiento para uno mismo, pues lo único que conseguiremos es que éste avance imparable en vez de dejar paso a la comunicación y el entendimiento mutuo.

BIBLIOGRAFÍA

Avia, M. D. (1990). Técnicas cognitivas y de autocontrol. In J.Mayor & F. J. Labrador (Eds.), Manual de Técnicas de Modificación de Conducta (pp. 330-360). Madrid: Alhambra.

Barret, L.F. y Gross, J.J. (2001). Emotional Intelligence. A process model of emotion representation and regulation. En T. J. Mayne y G.A. Bonano (Eds.). Emotions. Current issues and future directions. New York: The Guilford Press.

Boeck, K., Martin, D. Karin Boeck, Doris Martin. Qué es inteligencia emocional.

Bonano, G.A. (2001). Emotion self-regulation. En T. J. Mayne y G.A. Bonano (Eds.). Emotions. Current issues and future directions. New York: The Guilford Press.

Caballo, V. E. (1998). Manual de evaluación y entrenamiento de las habilidades sociales. Siglo XXI de España.

D'Zurilla, T. J. (1986). Problem Solving Therapy. New York: Springer.

Elias, M., Tobias, S. Friedlander, B. (1999). Educar con inteligencia emocional. Barcelona: Plaza y Janés.

Fernández-Berrocal, P., Salovey, P., Vera, A., Ramos, N., y Extremera, N. (2001) Cultura, inteligencia emocional percibida y ajuste emocional: un estudio preliminar. Revista Electrónica de Motivación y Emoción, 4.

Fernández-Berrocal, P. y Ramos, N. (2002). Corazones Inteligentes. Barcelona: Kairós.

Gardner, Howard (1994): Estructuras de la mente. La teoría de las inteligencias múltiples. México: Fondo de Cultura Económica.

Goleman, D. (1996). Inteligencia emocional. Kairós.

Goleman, D. (1999). La Practica de la Inteligencia Emocional. Barcelona : Kairós

Gordillo Ardines, B. A. (2000). Relación entre experiencias tempranas parentales, satisfacción marital e inteligencia emocional. Tesis Maestría. Orientación Familiar. Coordinación de Maestrías en Psicología, Departamento de Educación y Psicología, Universidad Iberoamericana - Golfo Centro.

Gottman, J. y DeClaire, J. (1997). Los mejores padres. Madrid: Javier Vergara.

Güell, M. y Muñoz, J. (1999). Desconócete a ti mismo. Programa de alfabetización emocional. Barcelona: Paidós.

Higgins, E.T., Grant, H. Y Shah, J. (1999). Seft Regulation and quality of life: Emotional and non-emotional life experiences. En Kahneman, Diener y Schwarz (Eds.). Well-being : the foundations of hedonic psychology. New York : Russell Sage Foundation.

Kohlmann, C.W. (1993) Rigid and Flexive Modes of Coping: Related to Coping Style?. Anxiety, Stress, and Coping, 6, 107-123.

Lazarus, R. S. & Folkman, S. (1984). Stress, Appraisal, and Coping. New York: Springer.

Mayer, J. D., Salovey, P., Caruso, D. R., & Sitarenios, G. (2001). Emotional intelligence as a standard intelligence. Emotion, 1, 232-242.

Meichenbaum, D. (1977). Cognitive-Behavior Modification: An Integrative Approach. New York: Springer.

Muñoz, M. (2001). Entrenamientos en inoculación de estrés. Madrid: Síntesis.

Nezu, A. M., Nezu, C. M., & Perri, M. G. (1989). Problem Solving Therapy for Depression. New

Salas Ortueta, Jaime de & Martín Félix (2005). Aproximaciones a la obra de William James: la formulación del pragmatismo. Madrid: Biblioteca Nueva.

Salovey, P. (2001). Applied emotional intelligence: Regulating emotions to become healthy, wealthy anda wise. En Ciarrochi, J., Forgas, J.P. y Mayer, J.D. (2001). Emotional Intelligence in Everyday Life. Philadelphia: Psychology Press.

Schutte et al. (2002). Characteristic emotional intelligence and emotional well-being. Cognition and Emotion, 16 (6), 769-785.

Shapiro, L. E. (1997). La inteligencia emocional en niños. Madrid: Javier Vergara.

Stenberg, R. y Detterman, D., K. (1988). ¿Qué es la inteligencia?. Madrid. Pirámide.

Vallejo-Nágera, J. A. (1998): Guía práctica de la psicología. Madrid. Ed. Temas de Hoy.

York: Wiley.

Vallés, A. y Vallés, C. (2000). Inteligencia emocional: Aplicaciones educativas. Madrid: Editorial EOS.

Vallés, A. y Vallés, C. (2003). La autorregulación para el afrontamiento emocional. En Psicopedagogía de la Inteligencia Emocional. Valencia: Promolibro.

http://alejandronavarrete.com/yahoo_site_admin/assets/docs/Como_predecir_el_divorcio.264195706.pdf.

http://www.asturias.es/Asturias/ARTICULOS/adolescentes-guia.pdf.

http://www.infocop.es/view_article.asp?id=3938.

http://www.mental-gym.com/Docs/ARTICULO_49.pdf.

http://www.monografias.com/trabajos82/inteligencia-emocio-
nal-adolescentes/inteligencia-emocional-adolescentes2.sht-
ml.

ÍNDICE